南诏王国传奇

北望长安系列丛书

杨军 编著

中国国际广播出版社

南诏第一代王细奴逻雕像

滇王之印

《南诏图传》(局部)——祭铁柱图

吐蕃赞普礼佛图

爨龙颜碑

爨龙颜碑是云南一位爨族首领爨龙颜的墓碑，其碑文为研究爨氏部族提供了宝贵的历史资料，在书法史上也具有特殊的意义。

南诏都城太和城遗址

南诏德化碑

南诏德化碑位于南诏太和城遗址内，碑文为研究南诏的形成、社会制度、南诏与唐王朝及吐蕃关系等方面提供了极其宝贵的材料，被誉为“云南第一碑”。

崇圣寺三塔

剑川石钟山石窟

阿吒力教中的阿嵯耶观音形象

目 录

引　子
大唐诗人的叹息

蛮子朝，泛皮船兮渡绳桥，来自巂州道路遥。入界先经蜀川过，蜀将收功先表贺。臣闻云南六诏蛮，东连牂牁西连蕃。六诏星居初琐碎，合为一诏渐强大。开元皇帝虽圣神，唯蛮倔强不来宾。鲜于仲通六万卒，征蛮一阵全军没。至今西洱河岸边，箭孔刀痕满枯骨。谁知今日慕华风，不劳一人蛮自通。诚由陛下休明德，亦赖微臣诱谕功。德宗省表知如此，笑令中使迎蛮子。蛮子导从者谁何，摩挲俗羽双隈伽。清平官持赤藤杖，大将军系金呿嗟。异牟寻男寻阁劝，特敕召对延英殿。上心贵在怀远蛮，引临玉座近天颜。冕旒不垂亲劳俫，赐衣赐食移时对。移时对，不可得，大臣相看有美色。可怜宰相拖紫佩金章，朝日唯闻对一刻。

《蛮子朝》（白居易）

西南六诏有遗种，僻在荒陬路寻壅。部落支离君长贱，比诸夷狄为幽冗。犬戎强盛频侵削，降有愤心战无勇。夜防抄盗保深山，朝望烟尘上高冢。鸟道绳桥来款附，非因慕化因危悚。清平官系金呿嵯，求天叩地持双珙。益州大将韦令公，顷实遭时定汧陇。自居剧镇无他绩，幸得蛮来固恩宠。为蛮开道引蛮朝，迎蛮送蛮常继踵。天子临轩四方贺，朝廷无事唯端拱。漏天走马春雨寒，泸水飞蛇瘴烟重。椎头丑类除忧患，胛足役夫劳汹涌。匈奴互市岁不供，云蛮通好辔长驌。戎王养马渐多年，南人耗悴西人恐。

《蛮子朝》（元稹）

这是唐代著名诗人白居易、元稹不约而同地留下的名为《蛮子朝》的两首长诗。

据史书记载，“锄禾日当午，汗滴禾下土。谁知盘中餐，粒粒皆辛苦”一诗的作者李绅，是与白居易、元稹同时代的诗人，他也曾写过一首名为《蛮子朝》的长诗。事实上，元稹的《蛮子朝》就是为和李绅的诗而作，但令人遗憾的是，李绅的《蛮子朝》未曾流传下来。

诗中所谓“蛮子”指的就是六诏。

白居易诗中提到的鲜于仲通，生于公元693年，是唐玄宗的宠妃杨玉环的哥哥杨国忠的好朋友。在他58岁的时候，统率唐军进行了对南诏的战争，却以惨败告终，所以说“鲜于仲通六万卒，征蛮一阵全军没”。

元稹诗中的“益州大将韦令公”，即曾任剑南节度使的韦皋。《资治通鉴》记载，传说，韦皋出生刚刚满月的时候，韦家为韦皋办满月，请了许多高僧。有一位胡僧却不召自至，韦家上上下下都很讨厌他。当韦家命乳娘抱出韦皋，请僧人们为他祝福时，这位胡僧直接走到韦皋的面前，对着刚刚满月的小孩子说：“这么久没见面了，别来无恙啊！”小韦皋竟然对着他笑了起来。韦家人大吃一惊。韦皋的父亲问胡僧：“我儿子刚出生一个月，大师您为什么却说与他很久没见面了呢？”胡僧说：“这个孩子是诸葛亮转世。我以前在剑门的时候，曾与他有过一段交往。诸葛亮曾做蜀汉丞相，四川人都受到他的恩惠，现在转生在你们家，这个孩子将来也会成为蜀地名将的，所以我前来道贺。”后来韦皋果然坐镇蜀地，前后达21年之久。

在公元8世纪，中国的西南究竟发生了怎样令人震惊的事件，使这些朝中重臣、充满传奇色彩的将军们纷纷聚集到了这里？又发生了哪些可歌可泣的故事，将白居易、元稹这些大诗人的目光吸引到了这里？

这一切，都是因为一个西南小国南诏的勃兴。

南诏，又名蒙舍诏，本为云南六诏之一，区区小国而已。它在唐与吐蕃两大势力于云南高原角逐博弈之时，凭借什么统一了六诏？凭借什么成为崛起于苍山洱海间的新的政治势力，成为中国南部的第三支政治力量，且能搅动这一地区的政治局势？

南诏，你从哪里来，又到了哪里去？对此，我们还得从云贵高原上复杂多变的民族关系谈起。

第一章
摇篮：苍山洱海间的先民

在中国的西南部，横断山脉以东、湖南省雪峰山以西、四川盆地以南的地区，就是举世闻名的云贵高原了。高原西部主要在云南省境内，山岭基本上以南北走向为主，如点苍山、乌蒙山和龙山等；东部主要在贵州省境内，山岭基本上是东北—西南走向，如大娄山、武陵山等。起伏的山岭间，有许多湖盆和坝子，地形极为复杂。因此，当地流传着“地无三里平，天无三日晴”的民谚。

自然地理条件造成的出行障碍，严重制约了远古先民之间的交往与文化交流。由于缺乏交流与融合，在相对独立与封闭的条件下，在相对狭小的地域里，生成了不同的民俗与文化，因而形成不同的族群。直到当代，云贵高原仍旧是中国少数民族数量最多的地区，呈现出多民族杂居的文化特色。

1965年发现于云南元谋上那蚌村附近的元谋猿人，距今约170万年，是目前为止在中国发现的年代最早的直立人化石。但是，有关这一地区的历史记载却相对较晚，真实可靠的记载也仅是从秦汉开始的。

秦汉时期，统称今川西南、贵州、云南境内的各少数民族为“西南夷”。据司马迁的《史记》记载，当时西南夷中主要的部族，在滇东的是夜郎，滇池地区的是滇，滇北地区的是邛都，滇西洱海地区的则是嶲和昆明，嶲东北的则是今四川西南部的徙、筰都等。从《史记》对这些民族的社会经济状况的记载来看，夜郎和滇等族已经在从事农业，并且已经进入了阶级社会；巂和昆明等族，则是以畜牧业为主的游牧民族，尚处在原始部落状态；徙、筰都则是以农耕为主，兼营畜牧。

当代学者多认为，秦汉时期的西南夷，就其族系分类来说可以分为氐羌、百越和百濮（孟高棉）三个系统。氐羌系统中包括滇、僰、昆明、叟和摩沙等，百越系统中包括夜郎、句町、滇越、僚等，百濮系统中包括哀牢、濮、苞满、闽濮等。在介绍这些纷繁复杂的民族之前，我们先来看一个神秘而多彩的王国——滇国。

考古奇迹：神秘的古滇王国

位于云南省昆明市晋宁县上蒜乡石寨村石寨山上的滇国古墓群，是建国以来云南最轰动的考古学发现之一。石寨山距滇池仅1公里，是一座石灰岩构造的小山，高约33米，南北长500米，东西宽200米。相传汉武帝想要出兵征讨滇国的昆明族，先在长安凿“昆明池”练习水军，刻石鲸鱼，就是象征此山，因此，有些古籍中又将此山称为“鲸鱼山”。谁能想到，这样一座不起眼的小山，其下竟然埋藏着无数国宝级的历史文物。

1955—1996年，考古工作者先后在这里进行过5次大规模发掘，清理古墓五十余座，共出土文物五千余件。最令人震惊的是，在第二次发掘中，在第六号墓中出土了金质篆书的“滇王之印”，这应该就是司马迁《史记》中记载的，汉武帝赐给滇王的印，考古发现竟然与文献记载惊人地吻合。在20世纪的60年代，石寨山古滇墓葬与秦俑、安阳殷墟并称为中国考古三大奇迹。

一切证据都表明，在大约两千年前，在夜郎之西、邛都之南、今昆明附近的滇池和玉溪三湖（抚仙湖、星云湖、杞麓湖）地区之间的狭长地带，有一个与中原的西汉王朝同时存在的神秘王国——古滇王国。它是西南夷一个较大的部族“滇族”建立的。

从石寨山古墓群中出土的各类青铜器来看，古滇国拥有非常发达的青铜文明。正是其中包含的与中原青铜文化风格迥异的文化因素，使学者将这里视为云南青铜文化的中心。

古滇国也是迄今为止世界罕见的有着活人祭祀习俗的神秘文化之一。古滇国的活人祭祀和其他农耕稻作民族的巫文化一样，都是一种对神灵的牺牲献祭，祈望得到神灵的护佑。用来献祭的活人，一般都是在部落战争中俘获的俘虏，或者是奴隶，而祭祀的对象多为某个农耕神，希望能通过献祭祈求得到大自然的关照，使部落农业获得丰收。

2012年7月11日，云南省晋宁县文物管理所所长周忠全向媒体透露，即将启动对石寨山的第六次发掘，我们不知道，这座并不高大的山峰下面，还埋藏着多少久不为世人所知的秘密。

但是，拥有如此发达的青铜文明的古滇国，却直到战国末期，才进入中原史家的视野之中，总算是留下了一点有关它的零散记载。

战国末年，秦国日益强大，楚威王为了抵御秦国的侵扰，派将军庄跻率领军队沿长江而上，攻取了巴郡、蜀郡和黔中郡以西的地方。庄跻到达滇国后，滇地臣服，当他正要回去报告楚王时，不料楚国的巫郡、黔中郡被秦国攻占，他回国的路被阻绝了。无奈之下，庄跻只得滞留滇国，成为新一代“滇王”。由此，庄跻也成为中国历史上第一个来自内地的开发西南边疆的伟大历史人物。

民间传说中还保存着更为浪漫的故事。传说在庄跻这段悲寂的时光里，滇国的公主一直相伴左右，给予庄跻很大的鼓励和支持，二人暗生情愫，以至庄跻最终下定决心留在滇国，从此换上滇服，率部下加入到滇族之中。有趣的是，由于当时滇国尚保有母系氏族社会的遗风，庄跻后来被滇国公主迎娶，“嫁”给了滇国公主。

剥去这些记载和传说的神秘色彩，我们可以肯定的是，早在战国末期，已经有一批来自楚国的移民进入云南，为当地的开发作出了贡献。

滇国是一个多民族国家，来自楚国的移民毕竟只是很少一部分，本地土著滇族才是它的主体民族，而滇族主要出自僰（音帛）人。

“僰”作为族名最早见于《吕氏春秋》，书中记载说，僰人还处在原始社会，善于用树藤在大河之上编织成桥，他们内部还没有君王长官。中原史家以“僰”字记载其族名，其实是一个有趣的现象。我们都知道，在当时中原大民族主义的背景下，中原人习惯于把边疆落后的民族都蔑称为“蛮”或“夷”等，从字源来说，“蛮”字从“虫”，意思是他们是采食虫鱼的民族；“夷”字从“弓”，就是说他们是以狩猎为生的民族。中原文献记载周边民族的族名时，往往都采用犬旁、虫旁的汉字，暗示着难以将之视为人类。唯独对于僰人，却采用了从“人”的“僰”字，这是为什么呢？据《水经·江水注》引《地理风俗记》说：“夷中最仁，有人道，故字从人。”也就是说，僰族是当时西南各少数民族中经济文化发展水平最高的，是比较先进的民族，所以僰族之“僰”字才会被例外地从“人”了。

历史学家多认为，僰人是从氐羌中分化出来的民族，其发源地可能在中国的西北。直到东汉末年，西北的湟水流域，都还有僰族杂居。但是，早在先秦时期，僰人就已经居住在西南地区了，主要分布在平坝地区，其分布区往往超出滇国的统治区域。岷江流域的西南，四川西南的雅安地区，在春秋战国时期都有部分僰人分布。自邛都（今四川西昌地区）以东，到今天的四川宜宾周围地带，在秦汉之际也是僰人的主要聚居区。除此之外，今贵州省西部地区，在当时也有僰人分布。滇国境内的僰人，主要分布在滇国的统治中心滇池的周围及滇国的南部胜休县。今曲江以南、泸江以北的建水、石屏至峨山一带，也有不少僰人分布，还有僰道经过的今曲靖市、文山州、红河州地区，滇国西部今楚雄地区，以及当时昆明族居住的大理洱海一带，今保山市一带，同样也有僰族杂居其中。

滇国境内，除主体民族僰族之外，被统治民族还有昆明族。

昆明族作为中国古代西南的民族，最早见于《史记·西南夷列传》。书中提到，昆明族都编发，随着牲畜逐水草而迁徙，居无定所，内部也没有君王长官，分布的地方可绵延数千里，还说昆明族是属于氐羌系统的民族。

和僰族一样，昆明族的分布也是十分广泛的，其分布区域往往也是超出滇国的统治地域的。昆明族的分布，西自桐师（今云南保山市）以东，北至叶榆（今云南大理市），主要分布区是今天的保山地区以东，北至贵州省西部的地带。一般说来，在同一地区内，僰族居平坝，昆明族则居住在山区和半山区。昆明族与僰人的关系不大和睦，在昆明族聚居的苍山洱海一带，只要有僰人途经，都会受到昆明族部落的杀掠和侵袭。

滇国的被统治民族中还有叟族。

叟族，也是从氐羌中分化出来的一部分。古代氐羌中的“叟”这一部分，与氐羌系统的各部落杂居，分布在从西北到西南的广大地域内。汉武帝派兵征服滇国时，反抗最激烈的就是叟族，可见滇国境内叟族人口之多。

叟族的分布区域也一样超出滇国的统治范围。叟族主要聚居区是越巂郡。自此往西南至今保山市、大理州一带，自保山地区往东北至昭通地区，自滇中至滇南的今红河州一带以及曲靖地区，都有叟族分布。上述地区在当时基本都是叟族、僰族和昆明族杂居，叟族多是在半山区和山区与昆明族杂居，其发展水平还要落后于昆明族。

秦汉以后，叟族和昆明族之间一直处在分化和重新组合的过程中，最终组成了近代彝语支的彝族、哈尼族、傈僳族、拉祜族、阿昌族五个兄弟民族。

另外，滇国的东部、东南部还有属于百越系统的僚、濮族人，杂居于僰、叟、昆明族之中，西部和西南部边境也有僚、濮族，以及属于百濮系统的苞满和闽濮，也同样杂居于滇国各民族之中。

当时的滇国土地肥沃，气候温和，居民主要以农业生产为主，也饲养牲畜，兼营渔猎。大量考古资料可以证明，滇人的手工业十分发达，尤以青铜冶铸闻名。

在滇国铸造的青铜器中，尤以贮贝器独具特色。所谓“贮贝器”，就是贮藏当时的货币贝壳的器具，此类青铜器在我国其他地区是非常罕见的。贮贝器一般分为两类：一类是桶状贮贝器，另一类是铜鼓等改装的贮贝器。桶状贮贝器的器盖上往往装饰牛、虎等动物。铜鼓形贮贝器则是滇国最重要的礼器，器盖上往往雕铸各种立体的人物、动物、房屋等，以人物活动为主。因为当时滇国还没有文字，所以这类贮贝器就成为记录滇国社会生活各种场景的立体史书，为我们展示了一幅幅生动的古代先民生产生活的画卷。

当时的滇国，农业、畜牧业在经济中占主要地位。种植的农作物主要是稻谷和麻，青铜农具已广泛使用于农业生产中，锄耕农业已经比较发达了，不过当时在农业生产中尚未使用牛耕。当时的人们已经采用一种原始的“腰机”进行纺织，就是人坐在地上，将线的一头拴在腰上，另一头拴在木棒上，然后用脚蹬紧，双手持飞梭而织。

在庄蹻以后，滇国与内地的联系逐渐多起来，一个标志性的事件是，战国时期，秦国的蜀郡太守、修筑都江堰的李冰，还曾主持过另一项历史影响不在都江堰之下的伟大工程——开凿僰道。据《华阳国志·蜀志》的记载，李冰沿岷江开凿僰道，连通了蜀地与滇国。

现在僰道遗址（今四川宜宾地区）一带仍然流传着一个传说：宜宾西北二十里的岷江边的赤岩山，原来是耸立在江中的，是神仙所造。峻崖断壁甚是危险，实在是难以穿凿，于是李冰先用烈火焚烧，让石块猛烈膨胀，再浇以冷水，使其骤然收缩，因而爆裂。李冰就是用这个“积薪烧岩”的办法凿通了僰道。由于这条道路通往僰人的聚居区，故称僰道，后来僰道又成为了地名，最终演变为行政区划名，即后世的僰道县。

道路的开通，不仅方便了人员的往来和贸易、文化交流的进行，也使中原王朝的势力向遥远的西南地区渗透。在秦朝统一中国的过程中，包括古滇国在内的西南各族也被纳入秦王朝的统治范围，成为中华民族的组成部分。

秦始皇统一中国后，为了有效地控制夜郎、滇国等地，派将军常頞率部队再次整修道路。常頞在李冰修筑的僰道的基础上，开通了著名的“五尺道”，此后，五尺道成为连接川滇汉人与古僰人的主要交通要道。通过五尺道，巴蜀商人把滇地的僰僮、筰马、髦牛等特产运往中原，促进了巴蜀地区与滇地的商贾往来。蜀布和邛竹杖，就是通过这条道路，再转运到身毒（今印度），又转运至大夏（今阿富汗地区）的。

夜郎与滇：同为封闭的国度

西汉王朝建立以后，北方蒙古草原上的各游牧民族被统一在匈奴人的旗帜之下，成为对汉王朝的最大威胁，汉王朝的统治者开始将注意力集中在北方，而对西南各地较少关注。但出人意料的是，最后恰恰是北方的斗争，使汉武帝重新开始关注西南地区。

由于决定发动对匈奴帝国的全面战争，汉武帝于公元前138年派张骞出使西域，去联络匈奴人的世仇大月氏人，希望能与大月氏人联合起来东西夹击匈奴帝国。可惜张骞的出使行动并不顺利，他在前往大月氏的路途中，被匈奴人截获，囚禁了起来。由于被匈奴人俘虏并扣押，张骞辗转十余年后才最终抵达立国于今中亚地区的大月氏。此时的情况已经发生了巨大的变化，大月氏人刚刚征服了中亚南部的希腊化王国大夏，也就是西方史书记载中的巴克特里亚，他们醉心于在中亚的优越生存条件，根本无意再东返与匈奴人进行浴血战争，这使得张骞的使命注定是无法完成的。

据司马迁《史记》记载，张骞在大夏国的时候，无意中见到了四川的土产——邛竹杖和蜀布。他感到十分好奇，追问它们的来源。大夏人告诉他，是他们的商人从身毒，就是印度买来的。由此张骞推测，自中国的四川向西南前行，一定存在一条通往印度次大陆的通道，而自印度向西北行，又可以抵达中亚。

当时，中原人所知的中国与中亚之间的交通路线只有一条，就是经河西走廊、今新疆赴中亚的古丝绸之路，这也是张骞出使时所走的路线。由于汉帝国与匈奴帝国正处于全面战争状态，沿这条路线去中亚很不安全，从事贸易就更是不可能的事情了。汉王朝想要与远在中亚的大月氏交往也是很困难的事情，这从张骞被匈奴扣留十余年就可以看得很清楚了。根据自己的推测，张骞归国后向汉武帝建议，开通自西南夷通往印度的交通路线，经印度联系中亚的大月氏，这应该是一条更为便捷而且安全的路线。

值得一提的是，现在有学者认为，张骞在大夏所见到的蜀布，其实并不是四川出产的布，而是产自当时云南地区的哀牢国，被蜀地商人经过西南丝绸之路转手贩运到身毒、大夏等国的。张骞所见的蜀布，其实就是哀牢国有名的优质苎麻细布——桐华布和兰干细布。兰干细布华美有如丝织品中的彩色大花绫锦，桐华布则是用木棉织成的洁白不污的布。这种哀牢国特产在秦汉之际就已远销南亚和中亚，被当时人称为“东方一绝”。

不论张骞在大夏见到的蜀布是产自四川还是出自云南哀牢国，有一点可以肯定，当时中国西南地区已经与印度次大陆存在着贸易往来，两地间有交通路线可以连接，对此，张骞的推测应该说是十分正确的。

张骞的报告引起了汉武帝的高度重视，直到这时汉武帝才意识到，汉王朝对西南各地的了解实在是太少了。特别重视开疆拓土的汉武帝发现，原来西南地区还有如此辽阔的地域，并未处在汉王朝的严密控制之下。于是，汉武帝作出了两个重要举措：一是在西域各地广置郡县，二是派出使团赴云南，去寻找通往印度的交通路线。

公元前122年，汉武帝派出四支队伍，分别从四川的宜宾、成都出发，向青海南部、西藏东部和云南境内前进，最后的目的地都是身毒。但是，几路使者都是只走了一两千里，就受阻于当地的少数民族，未能继续前进，先后返回。寻找通往印度的交通路线的壮举最终无果而终。

但是，前往云南境内的使团还是取得了比较大的收获。

出使云南境内的使臣是王然于、柏始昌和吕越人等，他们来到滇池地区的时候，此时的滇王名叫尝羌，属于从古滇王国的僰族延续下来的一支。尝羌王热情地设宴接待来自遥远地方的汉朝使者们，可是，他却对汉王朝几乎一无所知，在相对封闭的自然环境中，他所曾接触到的政权，也不外是云贵高原上各地的小王国而已。因此，在席间，尝羌问了一个令汉朝使者感到很无奈的问题："汉朝和我的国家比起来哪个大？"更令汉使无奈的事情还在此后，当他们路过一个名叫夜郎的小国时，这个只和汉朝的一个县差不多大的夜郎国的国王，也问了汉使同样的问题："汉朝和我的国家相比哪个大？"这就是"夜郎自大"这个成语的由来了。

夜郎国虽然仅相当于汉王朝的一个县，但是在西南地区，它却是当之无愧的大国，司马迁《史记》中也承认"西南夷君长以什数，夜郎最大。"这表明夜郎确实是当时中国西南最大的国家。也许正是因为知道自己周边的国家领土面积都比自己小，所以夜郎王才养成了这种自大的心态，凡是接触到以前没听说的政权，都先要弄清楚其疆域比自己大还是比自己小。不过，我们今天讲成语"夜郎自大"，其实并不很准确，因为第一个向汉使问这个问题的是滇王，而不是夜郎人，追溯起来，这个专利权还得归于滇王才是。

不过话又说回来，"夜郎自大"这种特殊事例表明，当时的滇国或是夜郎国，都因为交通不便，与中原王朝远隔千山万水，处于封闭状态，对外面的世界没有了解，所以才渴望从汉使那里得到一些信息。

值得一提的是，由于年代久远，这个夜郎国究竟在今天何处，也是一个悬而未决的问题。有人认为在湖南沅陵窑头村一带，有人认为在贵州长顺县广顺镇，也有人认为在贵州茅口。贵州民族学院的王子尧教授指出，除了沅陵、广顺、茅口等三个地方，牵涉到贵州省境的还有安顺、镇宁、关岭、贞丰、桐梓、贵阳、石阡、黄平、铜仁，和云南省的宣威、沾益、曲靖，以及湖南省的麻阳等地方。究竟哪里才是当年的夜郎国所在地，这是一个连专家学者都为之头痛的问题。不过，“夜郎自大”作为成语虽然不是褒义的，但由于这句成语流传太广，知名度太高，夜郎国的所在地竟成为现在各地争夺的目标。夜郎王恐怕做梦也想不到，他无意中的一句话，竟然影响到两千多年以后的今天。

汉使向尝羌王询问到达身毒国的情况，尝羌王告诉他们，从滇国往西，要经过大理、腾冲和缅甸的密支那，要渡过澜沧江和怒江，还要翻越险峻的高黎贡山才能到达，而且途中必须经过滇国的宿敌，洱海地区的游牧民族——昆明族的部落。由于汉使坚持前往，尝羌王只得派了一支护卫队保护汉使一同西行。当他们行至洱海地区的时候，果然遭遇了昆明族人的袭击，汉使狼狈而归。如此往复了四次，汉使最终放弃了。他们回到汉廷，详细向汉武帝描述了滇地的富庶、文化和物产的奇特，极力陈说滇是大国，值得让它亲近和归附汉朝。这个远离中原的神秘国度引起了汉武帝浓厚的兴趣，雄才大略的汉武帝怦然心动，于是一个秘密的计划开始在他心中酝酿。

不久，汉武帝决定出兵征伐西南夷。根据汉使提供的信息，滇地士兵多熟习水战，而中原士兵则不习，所以汉武帝下令在长安西南，按照洱海的形状开凿了一个周长40里的人工湖，取名“昆明池”，在湖中建造了各种战船，专供士兵操习水战，这便是“汉习楼船”的典故。据说，汉武帝还专门在池畔刻玉石作鲸鱼形，以象征滇地的鲸鱼山（即今晋宁石寨山），以示开发西南夷的决心。

公元前112年，时值南越造反，汉武帝征调南夷各部落的士兵攻打并平定了南越。

夜郎侯本来是依附于南越的，南越被灭之后，便主动入朝，被汉武帝封为夜郎王。之后，叛乱又波及且兰、筰、邛等汉朝的地方政权，武帝征发巴蜀罪人和曾参加过打南越的八校尉出兵平叛，很快诛杀了且兰君、邛君和筰侯，斩首数万。在武力攻占的基础上，汉王朝于元鼎六年（公元前111年）在这些地区设郡置吏。

公元前109年，汉武帝发兵大举进攻西南。在征服了巴蜀之后，大汉军队率领巴蜀兵来到滇池一带。他们先灭了滇国的同姓邦国劳浸、靡莫，然后径直朝滇国开来。曾经在滇国生活了14年的汉使，这次是作为大军的外联官，他对这里的一切都很熟悉，他并没有让部队直接开进，而是让其驻扎在了滇池沿岸，只和将军郭昌等几个将领和少数的卫队先行进入滇国，希望可以以兵威高压之势劝服滇王归降。

滇王尝羌见到阔别多年的汉使，热情地接待了他们。大将军郭昌表明来意，滇王眼见大军逼境，得知自己周边的各部落皆已被大汉所灭，深知自己无力抵抗，便带领滇国归降了汉朝。汉朝在滇地设置了益州郡。益州郡治所在滇池县，下辖24县，包括今滇池、洱海等云南大部分地区。汉武帝还赐给滇王一枚金印，依旧让滇王统治滇地的人民。

1956年，云南省晋宁县石寨山的滇王墓出土了汉武帝赐给滇王尝羌的这枚金印。金印高1.8厘米、边长2.3厘米、重89.5克，金质蛇钮，印面刻阴文篆书“滇王之印”四字，现收藏于中国国家博物馆。

守护了石寨山古墓群数十年的王从行，直到今天，还清楚地记得滇王印出土时的情景：

那天已经是傍晚，大家快要回家吃饭了，我完成我的挑土任务，坐在路基旁玩。孙太初在不远的地方进行当天的收尾工作。这个时候在6号墓葬里工作的工作人员突然大叫了起来，只听见一句“王印”，孙太初就从他的位置那里跳了起来，往6号墓葬里奔。

随着孙太初的举动，考古现场的人们也开始往6号墓葬聚集。

孙太初小心翼翼地从地里将王印取出来，这枚王印没有用盒子或者锦囊装盖，就这样赤裸裸地放置在墓穴中。由于是金质，所以保存完好，除了蛇头细小处嵌有泥土，其他地方都闪闪发亮。

王印拿了出来，工地上一片沸腾，事后才知道这个是国宝级文物。

不过也有学者认为，滇王印是滇王治国的凭据，不可能用来陪葬，发现于滇王墓中的这枚金印应该不是汉武帝赐给滇王的那一枚，而是滇人后来的仿制品。

滇王尝羌审时度势，为促进滇地的发展，积极配合汉朝在云南开拓通向印度的通商大道，为“西南丝绸之路”的开辟立下了不朽的功绩；同时，尝羌在滇池地区保护羌属僰族文化的同时亦吸收了中原先进的华夏文化成分，对云南地区农业、手工业的发展起了推动作用。这些都是应该肯定的。

汉武帝在滇地设置郡县后，随即向这些地区移民垦荒，使西南地区获得了极大的开发，至此，滇国等西南夷少数民族地区基本纳入了汉朝的版图之中。随着汉朝郡县制的推广、巩固以及大量移民的迁入，到东汉时，滇国和滇族逐渐从史料中消失了。

对于滇国的消失，到底是因其反叛而被汉朝剿灭，还是因为逐渐被中原汉文化所同化，或是因为一次巨大的地震而致使其从此消亡，这些假说都因为没有坚实的证据而得不到广泛的认同，可以说，滇国消失的原因至今仍然是一个未解之谜。

龙之子：哀牢国

讲完了古滇王国，我们再来讲讲同样神秘多彩的古哀牢国。

《史记·西南夷列传》把昆明族的分布区域局限在西至桐师（今云南保山地区），北至叶榆（今云南大理地区）的范围之内，即今云南保山市往东北至大理州一带，这是司马迁对昆明族的了解不全面造成的。事实上，当时昆明族的分布可以说是遍及南中（今云南、贵州）。而且，当时桐师、叶榆一带的昆明族也并不像司马迁说的那样，是逐水草而居、居无定所、没有君王长官的游牧部落，他们很大一部分已经从事比较发达的农业生产，也有了部落奴隶制的政权，其中一个就是我们要说的哀牢国。

关于哀牢国的历史记载开始于一个神话传说。

在哀牢山下，有一个名叫沙壹的妇人。有一天她到江边捕鱼，触碰到了江中浮着的一根沉木，回到家后就有感而怀孕了，十个月后生下了十个儿子。后来那根沉木竟化为巨龙，在水面上出现，沙壹忽然听到龙对她说："你为我生了儿子，现在他们都在哪儿呢？"九个儿子见到巨龙都惊慌逃走，唯独小儿子没走，他背对着巨龙坐着，龙就舔舐他。因为其母口音的问题，称"背"为"九"，称"坐"为"隆"，所以给小儿子取名"九隆"。后来九隆长大了，九隆的哥哥们认为九隆被父亲舔舐过并且聪明，于是一起推举他做了国王。后来哀牢山下又有一对夫妇生了十个女儿，九隆兄弟分别娶她们为妻子，以后他们子孙繁衍，散居溪谷。九隆死后，子孙代代相传，分置了很多小的王侯，形成了滇西的昆明部落群。

到了唐初，南诏始祖舍龙自哀牢避难到蒙舍川，在巍山之麓耕作生活，生了儿子细奴逻，当地白国王将女儿嫁给细奴逻并让位于他，这又是民间流传的南诏的开国传说了。据明清时期的云南地方志记载，当年沙壹的捕鱼之处，就在今天云南省保山县西郊一带的"九隆池"。

事实上，哀牢部落的祖先早在传说中的九隆时代以前就已经居住在滇西地区了，他们的历史比他们的传说还要古老。大体而言，哀牢部落后来发展为西汉初年滇西昆明部落群中的一个部落，同滇西其他昆明部落一样，都是从过去的九隆氏族中繁衍出来的，所以说九隆氏族是滇西昆明族部落的始祖。另外，由于哀牢部落是滇西彝族的祖先部落之一，九隆也就成了滇西彝族最早的始祖，所以，直到“文化大革命”前夕，保山地区的彝族仍然还在祭祀九隆。

古哀牢国的开国君主九隆是龙之子，这种神话传说显然是不能作为历史的。现在学者一般认为，哀牢国的出现大概可以上溯至战国时代——公元前300年左右。从此时开始，哀牢国作为西南夷中的一个小王国，一直存在到汉代。

关于哀牢国的族属问题，据当代学者考证，哀牢国内附后，永昌郡的居民“哀牢夷”并不是一个单一的民族，而是一个多民族共同体。哀牢部落中主要是昆明族，分布在西部；还有出自百越系统的僚、濮、鸠僚，以及出自百濮系统的苞满、闽濮，分别分布在西南部、南部和东南部。此外尚有滇国归汉之后自内地迁来的汉族移民，及西南交通打开之后来自身毒的移民等。在讲述滇国的时候，我们已经介绍了僰族、昆明族和叟族的基本情况，这里我们就再来简单说说僚、濮、鸠僚以及苞满、闽濮。

西南夷中属于百越系统的部落有夜郎、句町、滇越等，当时这些部落都处在分化融合的过程中。到了秦汉时期，这些出自百越系统的部落就被称为“僚”、“濮”和“鸠僚”了。他们的分布区域，东起今广西、越南北部，往西北至今贵州东部、南部和西南部，往西南至今云南德宏州一带。

汉武帝开西南夷之后，于夜郎地区设置了牂牁郡，夜郎的主体民族就是僚族，而当时的牂牁郡就是僚族的分布区，大体相当于今天的曲靖地区东部、红河州东北部和东南部、文山州等。在这个广阔的地域内，普遍有夜郎僚人的部落与其他部落杂居。

秦汉之际，牂牁郡内出自百越系统的民族，还有一部分是濮。濮与僚是同一族群中的不同部分，他们虽然仍居住在一起，但是已经有所区别了。濮族的主要聚居区是句町县，即今天的文山州东部的广南、富宁至广西右江上游一带，以及今红河中下游文山州西部和红河州南部一带。

鸠僚也是从僚中分化出来的，他们仍然同出自百越系统的濮族杂居。鸠僚的分布区，沿今红河中、下游往西南，直至东汉时期所设置的永昌郡的东南部、南部和西南部的广大区域。东汉时期的永昌郡，包括今云南大理州、保山地区、临沧地区、西双版纳州、德宏州在内。永昌郡是多民族杂居区，居民主要是哀牢部落的昆明族、鸠僚和出自百濮系统的闽濮。

再来说说出自百濮系统的苞满和闽濮。

苞满和闽濮在东汉哀牢内附时曾跟随哀牢一起内附，其部落基本都散落在当时的永昌郡内。苞满分布在嶲唐、不韦两县，即今天澜沧江西部的云龙县境内，以及今保山市东部和东北部。闽濮则分布在永昌郡的西南部、南部和东南部，即今天的德宏州、临沧地区、思茅地区、西双版纳州一带，部落众多，和同区域内的鸠僚等族杂居。

苞满和闽濮是同一语系的民族，秦汉时还没有分化组合成单一民族，在东汉设永昌郡之前不为汉族所知，直到其被纳入永昌郡之后才有了关于他们的记载。苞满和闽濮的众多部落生产力发展水平极不平衡，有的部落农业和手工业发展水平已经很高，比如我们之前提到的“蜀布”，就是产自哀牢国内的某些僚和濮族部落之中，但有的部落还处在原始社会的母系氏族阶段。

公元前109年，汉武帝发兵大举进攻西南的时候，就攻打了哀牢部落，然后在哀牢地区设置了嶲唐、不韦两个郡县，将哀牢纳入了统治范围。到了东汉光武帝时，当时的哀牢王贤栗出兵攻打哀牢与中原的边界地区，屡攻屡败，传说当时还出现雷声震动，天降暴雨，江水倒流，战死的六侯王尸体被老虎翻出来吃掉等异象。哀牢王贤栗认为这是上天的责罚，是上天在庇佑中原的圣明帝王，于是率领部族一万多人，向越隽太守郑鸿投降，请求归顺汉廷，东汉光武帝封他为君长，继续统领其部族。

东汉明帝永平十二年（公元69年），柳貌继承哀牢王位，率领哀牢55万余人举国“内附”。东汉朝廷将其地划为哀牢县、博南县，并且将原益州郡西部的六个县分离出来，合并成为永昌郡。新设立的永昌郡，辖23万户，189万人，在东汉105个郡中位居第二。

为表彰柳貌内附的功绩，汉明帝给他颁赐了类似于“滇王之印”的“哀牢王印”，并举行盛大的宫廷庆典。这便是中国历史上有名的“绥哀牢，开永昌”，为汉代一大盛事。至此，我国传统的西南疆界基本上确定了。

迄今为止，考古学家们尚未发现“哀牢王印”，但却在古哀牢国的区域内，发现了大量的编钟。

云南迄今共出土以“滇王编钟”为代表的编钟36件，其中属古哀牢地区的昌宁一县就出土了12件之多。1964年，该县右甸坝东大横山首次出土置于一铜鼓中的编钟6件；1993年该县漭水坝西打挂山又挖出按大小递次排列着的编钟4件。这些编钟虽久经沉埋，但出土后完好如初，色泽鲜明，纹饰清晰，音质洪亮。“滇王编钟”的面、侧均有两两对称的蜿蜒龙纹8条，近钟口处有绳纹夹云纹一圈。哀牢编钟则以矫健的虎纹、壮拙的牛鹿纹和卷曲盘旋的蛇纹为其特色。两种钟纹虽有所不同，却属同一文化体系。

哀牢国的消失，给人的印象是比较突然。从哀牢国最早见于记载到其灭亡，前后不到百年，从设立永昌郡到其灭亡更是只有七八年。公元76年，当时的哀牢王类牢因为与永昌郡守令相争，于是起兵反叛东汉，最后被东汉击破，类牢被杀，从此之后就再也不见继位的哀牢王之名，哀牢国就此退出了历史舞台。

以夷制夷：诸葛亮的手腕

东汉末年到魏晋南北朝之际，云南地区的少数民族，就其族系分类来说，基本上仍然延续秦汉时期的氐羌、百越和百濮（孟高棉）三个系统，包括僰族、昆明族、叟族和摩沙族，僚族、濮族和鸠僚，苞满和闽濮。秦汉时期少数民族间、少数民族和汉族间的相互杂居、分化和重组，使得云南地区的民族构成更加复杂多样。

东汉末年，迁入云南的汉族移民中的大姓豪族势力日益强大，这里出现了不少世为郡吏并拥有部曲（即地方私人武装）的大姓和一些被称为“夷帅”、“叟帅”的昆明、叟等族的奴隶主贵族，并逐渐在南中地区取得了支配地位。与此同时，东汉王朝外戚专权，宦官秉政，政治腐败，天灾不断，农民起义层出不穷，中原地区群雄逐鹿，各路军阀割据称霸。

面对中原的如此局面，南中的大姓、夷帅们也开始了割据争雄的活动。当时的雍闿、孟获、爨习、高定元、朱褒、吕凯等，都是西汉以来的汉族移民的后裔，只不过是经过几代人以后已经“夷化”了的豪强大姓。他们在与当地经济、文化发展水平最高的僰族融合之后，直接统治和间接联系着宁州（治所在今云南曲靖。辖区约今云南、贵州大部，广西小部）地区的各族，发展其在地方的势力，力图摆脱中央的统治以形成地方割据势力。雍闿、孟获共同盘踞益州郡，朱褒把持着牂牁郡，“叟大帅”高定元的势力范围在越巂郡，吕凯与汉族官员则守着永昌郡。

公元208年，三国鼎立的雏形已成。曹操已统一北方，“挟天子以令诸侯”，孙权占据江东已历三世，国险而民附，刘备则在建安十五年（公元210年），入蜀驱走刘璋，占领了益州及汉中郡，南中各郡由此都成为蜀汉的辖区。

由于孙吴因荆州之事与蜀汉失和，又想插手南中，所以一直拉拢雍闿。雍闿则为了抵制蜀汉，巩固自己的割据地盘，也远通孙权，暗结联盟。到公元223年，刘备死，其子刘禅继位，诸葛亮辅政。南中“大姓”和“夷帅”雍闿、孟获等以为蜀汉内忧，无力南顾，于是起兵反叛，只有永昌一郡在功曹吕凯统领下，于危境中孤悬汉帜，顽强坚守，才没有被雍闿叛军攻陷。

诸葛亮早在《隆中对》中就提到了要“南抚夷越”。到雍闿等反叛之时，蜀汉既尚未按既定方略北伐曹魏，又因荆州问题失和于孙吴，如果再失去南方四郡的夷越之地，那蜀汉能否保持与魏、吴三足鼎立的局面都成问题，更不要说北上图霸了！

在这种情况下，为稳定局势，诸葛亮一边想方设法对雍闿、朱褒等进行招抚，一边派人前往东吴重修旧好，以期巩固蜀吴联盟，同时又增兵汉中，以防曹魏。由于雍闿、朱褒拒绝招抚，于是，经过近三年的准备，公元225年，诸葛亮发兵南征。南征部队分为三路，东路军以马忠为主将，率部队进入牂牁郡以镇朱褒；中路军由李恢率领，包抄雍闿、孟获后方；西路军则由诸葛亮亲自率领，入越嶲郡以征高定元。

正当蜀军南下之际，雍闿、孟获率兵进入越嶲郡，驰援高定元，准备合力抵抗诸葛亮的西路主力军。谁料，高定元与雍闿不和，竟命其部曲杀了雍闿。孟获继续统领雍闿的部众，高定元自然失去了孟获联军的支持。诸葛亮抓住时机，一举打垮了高定元所率领的叟族兵，斩杀高定元，并一路尾追孟获。东、中两路军也先后告捷，三路大军声势相连，给孟获军很大的压力，孟获只能沿途败逃。

诸葛亮得知孟获在南中地区深得民心，于是找来马谡一同谋划。马谡说蛮人反复无常，必须令其心服才行，提出“攻心为上，攻城为下，心战为上，兵战为下”的策略。于是诸葛亮决定生擒孟获，使其归顺，从而达到收服南中民心的目的。

公元225年五月，诸葛大军与孟获军交战，成功俘虏孟获，诸葛亮带他到营中观看蜀军操练，问他觉得蜀军如何。孟获回答道：“我之前不知你军虚实，所以才战败。现今你给我看了营阵，原来不过如此，你要是放我回去，我必定可以战胜你了！”诸葛亮笑着将他放走。孟获不服气，说什么胜败乃兵家常事，回去要与孔明再战，若再被擒才服。

孟获被释放以后，逃回自己的部落，重整旗鼓，又一次进攻蜀军，但又一次被活捉。就这样到了孟获第七次被捉的时候，诸葛亮仍想继续放他，孟获却不愿意走了。他流着眼泪说："丞相七擒七纵，待我可说是仁至义尽了。我这回是打心底里佩服了。从今以后，不敢再造反了。"孟获回去以后，便说服各部降服，于是南中平定。

平定南中以后，诸葛亮立即整顿政治，调整郡县，废益州郡，改置建宁、兴古、云南、永昌、朱提、越巂、牂牁七郡，改善民族关系，大量起用少数民族首领，对他们中的一些人才，则调离南中，吸收到蜀汉政权中来，委以要职。如委任孟获为御史中丞，孟琰为辅国将军，爨习为领军将军等。另外，诸葛亮对当地的民族，如昆明族、叟族等采取了"以夷制夷"的政策，团结大姓、夷帅以进行统治，稳定了蜀汉对南中各民族地区的统治。这种民族政策，是两汉时期羁縻政策的延续和发展，得到了当地民族的拥护。

直至今日，在云南境内的某些少数民族中，还传颂着诸葛亮的事迹。如佤族传说，是诸葛亮教会了他们种稻谷；傣族传说，诸葛亮教会了他们用牛犁地，还教他们照诸葛亮的帽子的形状盖房子；景颇族则传说，诸葛亮是南中各种制度的创造者。还有一种说法，诸葛亮将古琴传入南中地区。这些传说虽不全为真，但却实实在在地反映出了诸葛亮对南中少数民族的影响。在诸葛亮的民族政策下，夷、汉之间相互交流、融合，使得南中各个民族之间的关系更加密切，极大地推动了当地社会经济的发展。

传说诸葛亮班师回朝，经过泸水的时候，突然狂风大作，巨浪滔天，部队无法渡河。孟获告诉诸葛亮，这是阵亡的将士无法返回故里与家人团聚，故在此兴风作浪，阻挠众将士回程，大军若要渡江，必须用49颗蛮军的人头祭江。诸葛亮不同意，认为战争已经结束，绝不能再伤人性命。作为替代品，诸葛亮命厨子以米面为皮，内包黑牛白羊之肉，捏塑出49颗人头用来祭江，居然也换来了风平浪静，蜀军得以顺利北还。诸葛亮用于祭江的这种面里包肉的假人头，后来竟然发展为一种中国特色食品——包子。

诸葛亮对南中各族的政策是相当成功的，此后直到蜀汉灭亡，南中各族再也没有反对过蜀汉政权。后来诸葛亮能够一次又一次地举兵北伐曹魏，南中各族支持蜀汉政权并提供人力物力，是重要原因之一。

曹魏灭蜀之后，魏、晋两代相继接管南中。晋朝官吏一改蜀汉统治南中的怀柔政策，对南中少数民族大肆剥削压榨，不断激起南中各少数民族的怨恨和反抗，导致南中阶级矛盾、民族矛盾，以及地方统治阶层和中央之间的矛盾集中爆发，各部族的反叛一波接一波。南中大姓爨氏便在这样的形势之下，乘机扩大着自己的势力。

到公元339年前后，东晋成帝在位的时候，宁州的大姓只剩下以爨琛、孟彦、霍彪为代表的三姓的力量了。孟、霍两家在相互兼并争夺中同归于尽，结果是爨氏一枝独秀，成为南中历史舞台上的主角。

两晋都不是像三国时期的蜀国那样立国于四川，其统治中心都在中原地区，对他们来说，南中不过是遥远的西南边疆的一个无足轻重的地方，再也没有统治者像蜀国的诸葛亮那样，视南中为根本，着力加以经营。于是，云南地区的形势呈现出畸形的发展轨迹，要么是晋朝的地方官贪婪压榨当地少数民族，导致激烈的反抗，战乱不断；要么是中央对这一地区持放任态度，导致当地强宗大姓势力的膨胀。

到南北朝时期，爨氏家族名义上还接受内地王朝的管辖，实际上已经称霸宁州，内地势力难以深入。爨氏踞滇前后约400年，成为独霸一方的独立王国。中原政权更迭，战乱不已，宁州地区则相对稳定，对民族的自然融合创造了有利条件，使得民族间的交流融合进一步发展。

另外，三国两晋南北朝时期，南中地区还发生了几次大的民族迁移。三国时，李恢迁永昌地区的濮民到云南、建宁两郡，并把兴古郡附近的两千僚人迁往汉中；晋初，滇东北的汉族向西迁入洱海、滇南地区；魏末晋初，朱提郡大姓部分迁入云南郡；齐梁之际，滇东北的昆明族部分迁移入黔西。民族迁移造成了部分民族间的错居杂处，加强了各民族间的接触和联系，在政治、经济、文化和社会习俗等方面，共同性日益增加，最终造成彼此间的融合，这也是推动云南境内各少数民族最后形成的主要原因之一。

三国以后，云南各族也陆续出现了一些新的变化。而最大的变化，就是在爨氏统治期间，逐渐形成了乌蛮与白蛮两大民族集团。

分化融合：从爨氏到两蛮

西南的爨氏最早见于公元三四世纪的中国史籍，可以说，他们是南中诸民族中最杰出的部族。但是，关于爨氏的来源，现在学者们也还说不清楚。可以肯定的是，诸葛亮已经承认，爨氏是南中的大姓了。

爨氏的首领自称其家族起源于安邑，就是今天的山西安邑，是后来迁入西南少数民族地区的汉族。一个似乎有力的证据是，唐朝人编纂的姓谱《元和姓纂》中，确实记录着山西安邑有爨姓。另一个证据是，爨氏流传到今天的两块碑——《爨龙颜碑》和《爨宝子碑》，都是用汉字书写的，而且今天被认为是汉字书法的精品。

《爨龙颜碑》，全称为《宋故龙骧将军护镇蛮校尉宁州刺史邛都县侯爨使君之碑》，立于南朝刘宋孝武帝大明二年（公元458年）。清道光年间，金石学家、收藏家阮元任云贵总督时访得。康有为对此碑推崇备至，称为“神品第一”，现存云南陆良县彩色沙林西面约3公里的薛官堡斗阁寺大殿内。与《爨宝子碑》相比，此碑较大，高3.88米，宽1.46米，字数亦多，正面碑文24行，904字，背面题名3段，共313字，故习惯上称其为“大爨”。

《爨宝子碑》，全称为《晋故振威将军建宁太守爨府君墓碑》。乾隆四十三年（1778年）出土于云南省曲靖县扬旗田村，1852年移置曲靖城内，现存于曲靖一中爨轩内爨碑亭。碑高1.83米，宽0.68米，厚0.21

米。碑文计13行，每行30字。碑尾有题名13行，每行4字，额15字，均正书。此碑刚出土时并未引起人们的重视，被一乡民用作压豆腐的石板。咸丰二年（1852年），曲靖知府邓尔恒发现豆腐上有字迹，大为惊异，急忙派人找到卖豆腐之人，将碑石运回府中，后置于城中武侯祠。阮元称其为“滇中第一石”，康有为誉为“已冠古今”。

“二爨”碑虽然在书法史上具有特殊的意义，也是我们研究爨氏的宝贵历史资料，但其所记载的内容，对说明爨氏的来源，却没有任何帮助。

多数学者认为，爨氏居住的地域及其文化特质都表明，爨氏不大可能是汉族移民集团的后裔。特别是其称首领为“鬼主”的风俗，后来在彝族当中一直沿用到近代。可能有个别汉人家族迁入这一地区，并把他们的汉族姓氏传播到当地少数民族当中，但这也恰恰证明，爨人是本地土著而不是汉人。

可以肯定的是，公元5世纪，爨人已经在今天云南的东北部地区建立起世袭统治。此后，爨地又分裂为东、西两个部分。东爨包括蜀汉时期的朱提郡及建宁郡的北部，相当于今天的昭通地区、曲靖地区北部和贵州西部地区；西爨包括蜀汉时期的建宁、兴古二郡之地，相当于今天的滇池地区、曲靖地区、楚雄州东部、红河州、文山州等地。

在爨人统治时期，当地的民族构成也发生了微妙的变化。西爨又称“西爨白蛮”，东爨则称“东爨乌蛮”，这是因为《蛮书》记载，说西爨是白蛮，东爨则是乌蛮。

白蛮，是秦汉以来的僰族与汉晋时期先后迁入西南夷的汉族移民相互融合而形成的。“白”与“僰”是同音字，这是不同历史时期汉字译写方式不同造成的。汉晋时期的僰族与叟、昆明等族，既有各自的聚居区，又在非常广阔的地域内交错杂居。在僰族中的大部分吸收汉族文化和汉族人口逐渐形成新的民族共同体白蛮的同时，叟、昆明族中的大部分则互相混合而被称为“乌蛮”。白蛮后来逐渐发展演变为今天的白族，而乌蛮则逐渐发展为今天的彝族。

白蛮主要分布在今曲靖、昆明、马龙、晋宁、澄江、江川、禄丰等地，乌蛮主要分布在今昭通、泸西、寻甸、嵩明、建水等地。白蛮多居于平原坝区，从事农业，而乌蛮多居住在山间林谷，大多从事畜牧业。

从他们的语言来看，白蛮的语言是最接近汉语的，乌蛮部落与部落之间的语言都不完全相同，以至有的部落语需要转译三四次才能与汉语相通。在服饰上，白蛮妇人以白缯为衣服，下边的裙子不超过膝盖，乌蛮妇人以黑缯为衣服，下边的裙摆几近拖地。甚至有人认为，乌蛮和白蛮的区分，就是根据其妇女衣服的颜色而定。另外，白蛮男子椎髻披毡，妇女不施粉黛，只用酥油润其头发，着细绣方幅围腰。乌蛮则男子头顶梳尖髻，妇女披发，男女无贵贱都披毡，赤脚。在丧葬习俗上，白蛮人死后，三天内就依照汉俗埋葬，葬式和汉族基本相同。乌蛮人死后，则是三天后焚尸，再把骨灰入土埋葬，仅留下双耳藏于金瓶铜瓶等里面用以祭祀。如果是乌蛮酋长死，则要用豹皮裹尸体而焚，然后再把骨灰埋在山里，不是酋长近亲骨肉都不可知道埋葬的具体地点。

乌蛮社会中还有一个有趣的习俗，就是父子连名制。如乌蛮南诏国历代国君的名字分别是：皮罗阁—阁罗凤、异牟寻—寻阁劝—劝龙晟。这种父子连名制，在唐初西南不见于白蛮社会。

白蛮和乌蛮，都出自氐羌系统。至唐初，在原来僰、叟、昆明族的南部地带还出现了“和蛮”，即现代哈尼族的先民。和蛮大部分是从叟、昆明族中分化出来的，也有一部分僰人加入，主要居住在今红河、文山、楚雄州和思茅地区的半山区。

“徙莫祗蛮”族系上亦属于氐羌系统，是南北朝以后逐步从当地的僰、叟、昆明族中分化出来的，其分布区主要是今楚雄、牟定、广通、禄丰、易门、玉溪一带。到唐朝初年时，因其经济文化发展水平比白蛮稍落后，较之乌蛮又高一些，所以是介于白蛮和乌蛮之间的一个民族群体，他们的生活习俗基本同于汉人、白蛮，而且还学习汉文化，甚至有考科举中第的人。

“磨些蛮”，“磨些”即“纳西”，就是汉晋时期出自氐羌系统的摩沙族，南北朝以后至唐初，才称之为“磨些蛮”，是乌蛮的近亲，但已经不是同一个民族了。磨些蛮主要分布在滇西北地区，在东泸水（今雅砻江）以西至磨些江（今丽江周围的一段金沙江）两岸地带，即今四川盐源往西至丽江一带，所居区域均海拔较高。在这些聚居区内，磨些蛮都是与白蛮和乌蛮相互杂居的。南北朝以后，部分磨些蛮从原来的居住地向南迁移，到了今天的大理宾川县境内，成为唐初“六诏乌蛮”中的越析诏。

“锅锉蛮”一族，也是南北朝以后才从氐羌系统的昆明、叟族中分化出来的，杂居在其他民族之中，主要居住在今云南东北部与四川接界的金沙江沿岸地区。

此外，南北朝至隋唐时期的云南，还生活着源自百越系统的僚族、鸠僚以及出自百濮系统的闽濮，主要分布在今天的德宏州、临沧地区、思茅地区、西双版纳州一带。

在秦汉始通西南夷之后，中原民族得以进入今云南地区，与原先居住的出自氐羌、百越、百濮几个系统的少数民族相杂居，在经历了汉晋到南北朝的长期分化和重组之后，逐渐形成了云南地区独具的民族融合特色。但是秦汉、魏晋及隋朝初年对云南的经略都是相对短暂的，各少数民族在不同程度上仍处在各自为政的状态，政治局面错综复杂。在这样的背景下，在滇东的爨氏势力逐渐衰落以后，滇西洱海地区的乌蛮、白蛮的社会经济有了较快的发展，于是，在苍山洱海地区，以乌蛮和白蛮为主的蒙舍诏等六诏争相崛起。

第二章
统一：从六诏到南诏

公元589年，隋灭陈，内地南北分裂局面结束。为了打破南中地区爨氏割据的局面，隋朝随即展开了对云南境内爨区的经营。此时的南中宁州，为与北魏时期设置于彭元（今甘肃境内）的宁州相区别，被改称为南宁州了。隋文帝杨坚先后派遣韦冲为南宁州总管，梁毗为西宁州刺史，在云南设置恭州、协州和昆州。爨氏的首领爨翫，鉴于隋在消灭南朝陈的过程中所表现出来的实力，也主动派遣一个使团前来朝贡。作为回报，杨坚任命爨翫为昆州刺史，昆州的治所在今云南昆明市西郊马街附近。

事实上，对于南中一带的爨氏，究竟是应该采取以抚为主的政策，还是应该动用武力进行打击，隋朝内部的意见并不统一。积极主张削平爨氏，将南中地区置于中央的直接管辖之下的代表人物是梁睿，他在给杨坚的奏折中写道：

南宁州，汉世牂牁之地，近代已来，分置兴古、云南、建宁、朱提四郡，户口殷众，金宝富饶，二河有骏马明珠，益宁出盐井犀角。晋太始七年，以益州旷远，分置宁州。至伪梁，南宁州刺史徐文盛被湘东征赴荆州，属东夏尚阻，未遑远略，土民爨瓒遂窃据一方，国家遥授刺史。其子震相承至今，而震臣礼多亏，贡赋不入，每年奉献不过数十匹马。其处去益，路止一千，朱提北境，即与戎州接界。如闻彼人苦其苛政，思被皇风。伏惟大丞相匡赞圣朝，宁济区宇，绝后光前，方垂万代，辟土服远，今正其时。幸因平蜀士众，不烦重兴师旅，押獠既讫，即请略定南宁。

梁睿在奏折中讲到汉代对南中地区的管辖，并强调这一地区物产丰富，建议杨坚在平定四川之后，接着就派遣征四川的部队南下消灭爨氏，而不必另外派遣部队。在这份奏折中，连讨伐爨氏的借口梁睿都替杨坚想好了，就是当时爨氏的首领爨震每年仅向杨坚进贡几十匹马，作为臣子，贡献如此之少的物品，这是极其无礼的表现。

杨坚深深地为梁睿的奏折所打动，但是经过再三思考，他还是放弃了武力征讨的打算，原因很简单，天下刚刚安定，杨坚实在不希望再挑起战争。对西南边疆遥远的地区，杨坚也并不是很了解，他并没有把握在一个很短的时间内肃清爨氏的势力，而不由此引发任何负面的影响。为了中原地区的安定，杨坚很自然地选择了对西南边疆的忽视。

但是，杨坚的这种忽视是暂时的，几年以后，在中原地区安定下来时，他即派出隋朝名将史万岁远征云南，梁睿的各项建议最终还是得到了全面的落实。

两次远征：隋朝的西南动作

隋开皇十七年（公元597年）二月，隋文帝以史万岁为行军总管，远征爨翫。

爨翫早已遣使向隋文帝朝贡，表示出对隋朝的臣服，仅仅几年之后，为什么又发动了反隋的叛乱，其详情不得而知，史书将之归为隋朝边疆地区地方官员们的腐败与残暴。

史万岁（公元549—600年），京兆杜陵（今陕西西安市东南）人。隋朝开国四大名将之一。

隋朝建立之初，史万岁被卷进了大将军尔朱绩谋反案中，被削职为民，发配到敦煌做了一名普通士兵。当时，突厥人是隋朝在北方的主要威胁，开皇三年（公元583年），隋文帝派秦州总管窦荣定率大军进攻突厥。史万岁面见窦荣定，要求收录他，窦荣定非常高兴。接下来，窦荣定对前来迎战的突厥阿波可汗说："士兵们有什么罪过啊，令他们互相厮杀。不如我们各派一名壮士单挑，一决胜负！"阿波答应了。窦荣定即派史万岁出战。史万岁纵马过去，一刀斩下突厥勇士的首级。突厥大惊，不敢再战，撤兵而去。史万岁因此战功被封为车骑将军。

在平定江南的战争中战功赫赫，在对付突厥人的北方战场上威名远扬，将这样一位名将派往西南边疆，可见隋文帝对平定爨氏一战的重视，他是志在必得。由此我们可以看出隋文帝平定西南边疆的决心与力度。

史万岁也果然不负隋文帝所望，战事进行得相当顺利。史万岁率部经蜻蛉川（今云南大姚）、弄栋（今云南姚安北）、小勃弄、大勃弄（二地均在今云南下关东南），一举攻入南宁州地区。爨翫也曾试图依险固守，负隅顽抗，但均被史万岁击破，爨翫被迫再度请降，献明珠宝物，表示愿意听从约束，并刻石勒铭，赞颂隋朝圣德。

《隋书·史万岁传》称史万岁"行千余里，破其三十余部，虏获男女二万余口"。在这样一个人口并不密集的地区，仅被隋军俘获的人口就达到2万余人，可见此次战争对当地造成的破坏是比较严重的。但是，史万岁的远征实现了隋朝平定这一地区的愿望，当地所有的部族都被迫投降，表示归顺。

传说，在隋军行军途中，经过当年诸葛亮留下的纪功碑，碑的背面有铭文："万岁之后胜我者过此。"碑文中竟然出现了史万岁的名字，并预言他会来到这里，这令隋军将士极为震惊。要知道，"万岁"这个名字毕竟是极为罕见的，因为这个名字是触犯皇帝忌讳的，据说史万岁有胡人的血统，不大了解中原汉文化，所以才取了这么一个名字，也只有在比较开放的唐代，这才是可能的。史万岁不愿意因此事影响军心，他下令推倒诸葛亮的纪功碑，但是，更加令人震惊的一幕出现了，石碑被推倒之后，在石碑的底座下面赫然刻着一行字："隋开皇十七年将军史万岁至此。"据说史万岁当时大惊失色，连忙命部下重新立好石碑，自己惶恐下拜。如此离奇的一件事究竟是真的出于卧龙先生生时的神机妙算，还是史万岁为了鼓舞士兵而玩出的把戏，我们不敢妄下结论，但相信各位读者的心里是清楚明白的。

隋军彻底扫平爨地之后，史万岁向隋文帝报捷，并申请将爨翫带回朝中，此事也得到了隋文帝的批准。

将爨氏这一地方割据势力的首领带回首都软禁起来，使爨地群龙无首，免得在隋军撤退后再出现叛乱，应该说，史万岁的这种考虑是十分正确的。但问题是，爨翫却不敢去隋朝的首都，担心自己会被处死，从后来的事态发展来看，爨翫的这种担心也不无道理。爨翫暗中送给史万岁大量的金银珠宝，史万岁也就同意爨翫留在当地，而他自己则志得意满地率隋军凯旋了。

在班师回朝的途中，史万岁还在险要之地建立了城堡，命名为"石门关"，派兵把守，以防爨地再乱。

自以为此战已经名利双收的史万岁却想不到，收下爨翫的贿赂给他带来了灾难性的后果。其中的关键性人物是杨秀。

蜀王杨秀，隋文帝杨坚的第四子，开皇元年（公元581年）就已经官拜柱国、益州刺史，总管二十四州诸军事。开皇十二年（公元592年），又为内史令、右领军大将军，出镇四川。杨秀也是一个不甘寂寞的亲王，他在四川的时候，所用器物往往都超标，达到与皇帝相同的标准，就此一点来看，杨秀的政治野心是不言而喻的。后来太子被废，晋王杨广被立为太子，杨秀心里感觉非常不平衡，并有所表示，因此被废为庶人，受到幽禁。

当史万岁平定西南的时候，坐镇四川的杨秀风头正劲。杨秀探知爨翫向史万岁行贿，便也想从中分一杯羹，派人向史万岁索要珠宝。对于此事，史万岁的处理是十分不恰当的，他暗中将爨翫送给他的宝物全部沉入江中，矢口否认曾接受珠宝，令杨秀一无所得。

我们不知道史万岁这一举动是出于对受贿事情暴露的恐惧，还是出自对杨秀这样一个皇室子弟的不屑一顾，结果是，杨秀从此深恨史万岁，必欲置之死地而后快。

史万岁回朝之后，因功进封上柱国。对于没有带爨翫回朝，他的解释是，需要依靠爨翫在当地的威望来镇抚当地百姓，失去这样一位有号召力的首领，他担心当地少数民族会陷入混乱之中。史万岁也向隋文帝表白，他是在回军途中才接到隋文帝命他带爨翫回朝的指示的，而这时他的部队已经远离爨地，他不可能再重新回去找爨翫了。

这些解释显然都是牵强的，因为带爨翫回朝的动议最初正是出自史万岁自己。但看在史万岁迅速平定西南边疆，战功卓著的面子上，隋文帝也就装作相信史万岁的解释，不再追究了。

可是，第二年，爨翫却再次发动了叛乱。

杨秀发现，他终于等来了机会，可以落井下石，为自己出一口恶气了。蜀王杨秀上奏，弹劾史万岁受贿纵贼，致生边患，毫无大臣气节。隋文帝下令严查此事。

杨秀弹劾史万岁是否还存在其他的动机，史书中没有记载，但很显然，能够借史万岁受贿一事发挥，既可以整倒这位在西南边疆功勋卓著、威望正隆的将军，也可以借朝廷之手打击以爨翫为代表的地方势力，这对于想在四川发展其个人势力的蜀王来说，无疑是一石二鸟的绝佳机会。

隋文帝在朝廷上当面指责史万岁：“因为你受贿不带爨翫回朝，才导致爨翫再次叛乱，我们不得不再次动用部队远征平叛。一想到战士们又要风餐露宿，朕寝不安席，食不甘味，你这样的做法，怎么能称得起社稷之臣呢？”

史万岁仍为自己辩解：“臣留爨翫在当地，是怕其州有变，留他来镇抚。臣回军至泸水，诏书方到，因此没有带爨翫入朝。臣真的没有受贿。”

隋文帝当时大怒，骂道：“朕以卿为好人，谁想到高官厚禄，却养出了国贼。”隋文帝当时下令，第二天就要处死史万岁。

史万岁害怕之下，承认了受贿，隋文帝才怒气渐消。左仆射高颎和左卫大将军元旻等又都为史万岁说情：“史万岁雄略过人，每次行兵出战，都是身先士卒，将士都乐于尽力死战，即使是古代名将也不能超过他了。”隋文帝终于还是将史万岁削职为民。直到一年以后，才恢复官爵，授河州（今甘肃省临夏东北）刺史，兼领行军总管，以防备胡人来犯。

但是，爨翫对史万岁的贿赂仍然使他受害。后来由于杨素的陷害，隋文帝又联想到史万岁受爨翫贿赂一事，最终还是下令将史万岁处死了。据《隋书·史万岁传》记载，史万岁被处死的消息传遍全国，天下无论认识或是不认识他的人，都认为他是冤枉的，都为这不公平的处理感到悲愤。

抛开史万岁不谈，西南地区爨翫的叛乱还在进行当中，急需隋朝君臣拿出一个解决的办法来。于是，仁寿二年（公元602年）的春天，隋朝派出了刘哙之、杨武通率领的部队，再一次远征爨地。

对于此次远征的战斗过程，史书中没有详细的记载，但战斗应该是非常激烈的，因为最后在讨伐嘉州地区的僚人的战斗中，隋军统帅杨武通竟然战死。蜀王杨秀似乎也参与了这次平叛战争，因为有史书记载，杨秀设法掳掠到许多僚人，并将之阉割成为太监，收入他在成都的宫室里。

战争虽然惨烈，但结果却没有悬念，爨氏最终战败。这一次，爨翫被带回隋朝的首都处死，其家人被贬为奴隶。为避免再次出现叛乱，隋朝不仅剥夺爨氏对南中一带的统治权，还将爨氏从当地带走。爨氏在当地长达几个世纪的统治彻底崩溃，一时间造成当地的权力真空，白蛮、乌蛮各部落乘乱而起，爨地的政治格局面临重组。

隋军的两次远征，对当地各族起到了明显的震慑作用，中国的西南边疆陷入一片沉寂之中。然而，隋朝对这里的控制并未得到进一步加强，因为仅仅几年之后，隋朝最后一位皇帝隋炀帝就已经将目光转向了北方的朝鲜半岛。在隋炀帝看来，对隋朝仅保持着名义上的臣服的高句丽政权是更应该受到讨伐的。隋征高句丽的战争并未取得成功，相反地，却引发了隋末农民战争，将隋帝国拖垮了。随着隋王朝的崩溃，西南各地也再一次呈现政治上的无序状态，重建当地政治秩序的任务就落到了继隋朝兴起的唐王朝的肩上。

软硬兼施：唐初政策的变化

唐朝始建于公元618年，就在当年，维持西南边疆长期稳定的问题就被唐朝君臣提到日程上来。如何维持西南地区的稳定，是剿还是抚？是采用怀柔政策还是采取武力镇压？这道传统的选择题又摆在了唐朝君臣的面前。

唐高祖李渊从一开始就选择了怀柔，当年因为发动反隋叛乱被处死的爨翫的儿子爨弘达，被李渊任命为昆州刺史，重新担任这个他老爸爨翫曾经担任过的职务。李渊还批准爨弘达将爨翫的尸体运回家乡安葬。唐朝的怀柔政策取得了比较好的效果，爨地各部的首领都对唐朝采取友好归顺的态度。至公元620年，爨地所有部落都归附了唐朝，并开始遣使前往唐朝的首都去朝贡。

在此基础上，唐朝开始重新规划南中地区的行政机构，在南中设南宁州、昆州、恭州、协州等4州，南宁州下辖9县、昆州下辖4县、恭州下辖2县、协州下辖3县，都隶属设于四川的益州总管府。公元621年，唐朝还在今天的姚安建立起姚州。唐朝甚至派遣了一小支部队到西洱河地区戍守。

大体而言，唐在西南边疆是采取羁縻体制来加以管理的。

“羁縻”，在古代特指对少数民族地区的控制，最早见于《史记·司马相如列传》。所谓羁縻州县，即羁縻府州，是中国古代中原王朝（以唐为典型）在周边少数民族地区设置的一种带有自治性质的地方行政机构。

羁縻府州虽有州县之名，但组织形式与内地州县大为不同。羁縻府州的长官如都护、都督、刺史、县令等，仍由当地少数民族首领担任，而且其职位允许世袭，在行政和财政上也拥有远远大于内地州县的自主权。羁縻府州的户籍一般不上报户部，也不承担通常意义上的赋税。但少数民族的首领也需要通过被中央政府册封为羁縻府州的长官，使自己的统治得到承认，同时每隔一定的时间向中央政府进行朝贡，并接受中央政府设立的都护府的管辖。

唐朝在周边少数民族地区多有一定的影响力，但又不足以进行直接统治，因此采用羁縻体制进行相对松散的间接统治，一方面节约管理成本，一方面有利于民族之间的和平相处和自然融合。

任命爨弘达为昆州刺史，就是唐代羁縻体制的具体表现。

唐朝的西南边疆政策是其整体边疆政策中的重要一环，唐王朝自建立之初，就努力构建双重环状的疆域体系，在内地的州县区之外，打造出一个非常辽阔的羁縻区。在唐朝鼎盛时代，羁縻府州的数量达到八百多个，远远超过内地州县的数量。

南中各羁縻州建立起来以后，虽然是以当地民族的首领作为刺史，但也需要中央派官进行管辖，而不能仅维系其名义上的隶属关系，可是，对于唐王朝来说，派往边疆的地方官人选实在是一个令人头痛的问题。派往爨地的官员往往受贿，对当地的影响极为恶劣，甚至部分地方官员的做法与唐王朝中央实行的安抚政策背道而驰，对边疆各族持打压和镇压的态度，往往激成事变。

如果没有优秀的官员，再好的政策也无法落到实处。在唐朝初年派往爨地的官员中，韦仁寿是最受人称道的。

韦仁寿，雍州万年人，在隋朝时就在四川为官，负责司法工作。由于他执法公正，就连被他判处死刑的犯人都表示："韦君所断，死而无恨。"唐朝建立后，韦仁寿被任命为巂州都督府长史。唐高祖李渊特意选中了韦仁寿，任命他为检校南宁州都督，每年一次前往南宁州一带巡视。

接受任命以后，韦仁寿即率兵500人来到西洱河，当地各族首领前来拜见。韦仁寿按朝廷的意见，在当地设置了七州十五县，全部选用当地部落首领来担任刺史、县令。韦仁寿为人宽厚大度，法令简明严肃，深受当地各族首领的爱戴，当他要率兵返回时，诸部首领纷纷请求他留下来，并且说："天子不是任命你做南宁州的都督吗，你怎么能这么快就离开呢？"韦仁寿推托说南宁州的都督府城还没有建立起来，他留下来实在不方便，当地的各族首领马上率所部人民全力修筑城池和府衙，这令韦仁寿大为感动。

回来后，韦仁寿向朝廷申请，自己要移镇南宁州，得到李渊的批准，李渊还特意赋予他"便宜从事"的权力。但由于受到益州刺史的阻挠，未能立即成行，而不久后，韦仁寿就因病去世了。

韦仁寿在南宁州的政策是相当成功的，在他巡视之后，当地各族首领纷纷遣使朝贡，唐朝在西南边疆的统治开始稳定下来。

但是好景不长，就在韦仁寿巡视南中各地仅仅两三年之后，公元626年的年底，益州大都督就向唐太宗报告，说僚人造反，请求出兵镇压，但是没有得到唐太宗的批准。

在此期间，爨弘达去世，爨氏首领爨归王自立为南宁州刺史，这种无视中央的私自世袭官职的现象充分表明，唐朝对这一地区的控制力已经明显下降。有学者推测，韦仁寿未能再次前往南宁州，不仅仅是由于益州刺史的阻挠，也是由于唐朝已经很难对爨氏掌控下的地区作进一步的渗透了。甚至有学者怀疑，由于唐朝地方官员对当地各族的剥削和奴役，很可能是爨弘达或者爨归王煽动爨地各部起而反对唐王朝的直接统治，以达到自己割据自立的目的。总之，对韦仁寿之后南宁州一带的情况史书记载不清，似乎唐王朝在这里的统治存在长达20年之久的断环，直到公元648年梁建方的远征为止。

唐太宗之所以不同意对西南用兵，主要是不愿意多线同时作战，当时唐朝的主要对手是北方的东突厥。

公元581年，突厥沙钵略可汗即位，西部突厥达头可汗拒绝承认沙钵略可汗名义上的宗主地位，致使两年后突厥正式分裂为东、西两个互不相属的政权。东、西突厥大体上以金山（今阿尔泰山脉）为界，东突厥势力强盛时，疆域包括从阿尔泰山到大兴安岭之间的整个蒙古高原及附近地区。自唐朝初建，东突厥就以其强大的武力对这一新兴起的王朝构成巨大威胁，甚至有历史学家猜测，李唐建国之初，为保证后方安全，以便全力推进削平各地割据势力、统一中国的争战，李渊、李世民父子曾向突厥可汗称臣纳贡。

就是爨地出现叛乱的同一年，公元626年的夏天，东突厥的颉利可汗亲自率领十余万骑兵进攻武功（今陕西省武功县西北武功镇），导致唐朝的首都长安戒严。就在唐太宗即位之后不久，颉利可汗的部队已经推进到渭水便桥北，距长安仅二十余公里了。唐太宗与侍中高士廉、中书令房玄龄等六人，骑马驰至渭水上，与颉利隔河而谈，责他背约入侵。最后双方会盟于便桥之上，突厥撤军。

在北方疆界如此危急的情况下，唐太宗显然是不可能再向西南用兵的。

公元630年，唐王朝最终消灭了东突厥汗国，但随之而来的问题却是吐蕃的兴起，唐王朝不得不将注意力转向了青藏高原。直到公元641年，唐朝的文成公主下嫁吐蕃赞普松赞干布，双方确立了会盟关系，唐朝在北方的危机才得以缓解。公元645年，唐太宗又亲征朝鲜半岛的高句丽。直到公元647年，突厥、回纥各族皆隶属于唐，为唐太宗上尊号

“天可汗”，为方便西北各族朝贡，还修筑了专门的通道，称“参天可汗道”。北方的事情终于可以告一段落，唐朝君臣这才有精力关注西南边疆的爨地问题。

公元648年，唐太宗采纳巂州都督刘伯英的建议，派右武侯将军梁建方率巴蜀十三州兵征松外诸蛮。这一次，唐太宗一改其父李渊的安抚政策，转而采用武力进剿的方式，要以强大的武力为后盾，在短时间内肃清当地的割据势力，迅速确立起唐王朝在此地区的绝对统治。

西南各族为之震动，于是有蒙和等七十二部首领，率部民十余万人表示归附。梁建方按照朝廷的命令设置牢州，领松外、寻声、林开三县，任命蒙和等当地各族的首领为县令，依旧统领其部民。梁建方指挥下的唐军，甚至出现在了西洱河地区。

公元649年，唐朝派兵征伐西爨，开青蛉（在今云南永仁、大姚北部）、弄栋（在今云南大姚、姚安南部）为县，当地的徒莫祇蛮归附。同年三月，西洱河蛮大首领杨同外、东洱河蛮大首领杨敛、松外蛮首领蒙羽等赴长安朝贡。终于，唐朝再次掌控西南各地，其势力已经深入到云南西部的洱海地区。

意外的事件总还是有的。公元651年，处在爨地和洱海地区之间的一个小部落白水蛮，竟然萌发了反对唐朝在当地设置行政机构的企图。由于史料记载缺失，我们还不清楚，为什么在唐朝如此强势的情况下，这么一个实力弱小的部落还敢于站出来，挑战唐朝在当地的政治权威。非常清楚的是，唐朝对此作出了迅速而激烈的反应，马上任命赵孝祖为主帅，再次派部队南征。

战争的结果仍旧是没有任何悬念的，赵孝祖迅速而彻底地消灭了白水蛮。随后，赵孝祖在给朝廷的奏书中提到，在当时姚州的治所弄栋的西边，还有大勃弄、小勃弄二川蛮，他们经常试图煽动姚州地区其他各部族反对唐朝在当地的统治。赵孝祖还提到，他们的领地与西洱河地区相接，非常富庶，甚至可以与当时的四川相比。赵孝祖奏书的含义是非常清楚的，当地部族没有统一的政权组织，是容易攻克的；他们对唐朝在当地的统治构成潜在的威胁，因此是必须要征伐的；他们居住的地区是富庶的，进攻他们能够带来大量的利益。既然如此，那还等什么？

赵孝祖建议，趁他的部队刚刚取得了对白水蛮的胜利而进军。这个建议得到了朝廷的批准。公元652年夏天，赵孝祖的部队开始向西进军了。就在当年，赵孝祖的部队打败了小勃弄，杀死其首领，击溃大勃弄，俘虏其首领，唐军的武力无可阻挡，当地所有部落都表示降服。值得一提的是，也是在这一年，唐朝的将军曹继叔率领部队讨伐了当地三个与吐蕃保持友好关系的部落，唐军夺取了十几个城镇，杀死七百余人，还掠夺了大量的牲口。这是唐军在西南地区第一次与吐蕃的势力接触。

曹继叔是当时比较优秀的军事将领，曾经参加过唐朝在西域的军事行动，对于青藏高原上的吐蕃政权，他应该并不陌生。但是，他是否意识到自己的这次军事行动具有非同寻常的意义，我们就不得而知了。

就在赵孝祖所部唐军在西南边疆节节胜利，取得辉煌战绩的第二年，即公元653年，云南白国的国主张乐进求让位于蒙舍诏主细奴逻，谁也不曾料到，这个在当时并未引起任何人关注的事情，最终却改变了西南地区的政治格局。

上天之选：南诏的起源神话

云南的地方志大都记载着，蒙舍诏的始祖名叫舍龙，又名龙伽独，为了逃避仇家，从哀牢山率部迁到巍山，他的儿子细奴逻后来成为南诏之主。

舍龙所部原本是从事游牧业的，在迁徙到巍山之后才转而从事农业生产。今天云南巍山县城东南7.5公里处的巍宝山麓的前新村，相传就是当年细奴逻耕作的地方；今天村里的篮球场，传说就是当年细奴逻的故居所在地。1958年以前，在操场的南面还存有一截断墙埂子，长丈余，宽三四尺，该村老人世代相传是细奴逻王住家的围墙，不准取土开田。相传，细奴逻去世后，他的孙子盛罗皮在巍宝山所建的南诏祖庙巡山殿，至今为前新村彝族的祖庙。当地村民每年进庙祭祖两次，一次是农历正月十四日至十六日，一次是农历九月十四日，据说，前者是细奴逻的生日，后者是细奴逻去世的日子。

关于细奴逻的出生，民间也流传着一个神话故事。

传说，舍龙夫妇迁居巍山之后一直没有孩子。有一天，舍龙在后山耕地，中午时他的妻子去给他送饭。当她走到巍山的半山腰时，遇到一位白胡子老头，向她讨午饭吃。她就将饭菜都给了那个老头，回家重新给老伴做午饭。当她再次走到半山腰时，又看到那个老头，在他旁边还坐了一位中年道士。老头笑着对她说："这是我徒弟，他还没有吃饭，还有吃的东西吗？"她便拿出饭菜送给那道士。她重新做午饭，第三次来到半山腰时，那老头和那道士仍然坐在那里，只是又多了一位中年道士。老头又对她说："他是我的二徒弟，还没有吃饭，还有吃的东西吗？"结果她又把饭给了那道士，回去重新做饭。

在后山耕作的舍龙饿得坐在草坪上抽草烟。等老伴送午饭来，听她讲了刚才的事情，他称赞老伴做得对。舍龙吃完午饭，太阳都快落山了，于是老两口收拾好东西，赶着牛准备回家去。当他们来到半山腰时，看到在一块磐石上方飘着三朵祥云，那个白胡子老头盘腿坐在石头上，红光满面，右手握着鹅毛扇，在他的左右两边站着两个身着灰布道袍的中年道士。白胡子老头笑着对老两口说："你们无儿无女，我知道你们的苦衷。"说着就拿出六颗宝珠送给舍龙，说："今后你家香火不断，儿孙满堂，世袭为王。"边说边用鹅毛扇在舍龙的犁把上轻轻敲了十三下，然后白胡子老头和道士就都消失了。这时，舍龙才醒悟过来，对老伴说，那个老头是太上老君啊，他旁边的两个道士就是张天师和李天师。

回到家过了一段时间后，舍龙的妻子怀孕了，第二年生下一对双胞胎儿子，第三年又怀了第二胎，也是一胎生下两个儿子，到第四年又怀了第三胎，还是一胎生下两个儿子。只要生下两个儿子，老君送给他们的六颗宝珠就少两颗，生完六个儿子后，六颗宝珠也就不翼而飞了。后来人们才知道，原来老君送给他们的六颗宝珠是仙珠，它们转世成了老两口的六个儿子。

六个儿子长大后，个个一表人才，其中的老大就是后来的南诏之主细奴逻，其他五个儿子分别成为另外五诏之主。因为老君用鹅毛扇在舍龙的犁把上敲了十三下，后来南诏传世十三主。

南诏诸王表

序号	国王姓名	生卒时间	在位时间	本国封号	唐或吐蕃封号
1	细奴逻	629—674年	653—674年	高祖 奇嘉王	
2	逻盛	655—712年	674—712年	兴宗 兴宗王	
3	盛罗皮	689—728年	713—728年	太宗 威成王	台登郡王
4	皮罗阁	？705—748年	？729—748年		云南王
5	阁罗凤	721—779年	748—779年	神武王	云南王 赞普钟
6	异牟寻	757—808年	779—808年	孝桓王	南诏王 日东王
7	寻阁劝	779—809年	808—809年	孝惠王 骠信	南诏王
8	劝龙晟	795—816年	809—816年	幽王	南诏王
9	劝利晟	801—824年	816—824年	靖王	南诏王
10	劝丰佑	809—859年	824—859年	昭成王	南诏王
11	世隆	835—877年	859—877年	景庄皇帝	
12	隆舜	856—897年	877—897年	宣武帝 摩诃罗嵯　土轮王	
13	舜化贞	877—902年	897—902年	孝哀帝	

（本表年代依据梁晓强《南诏历代国王生辰订正》）

这就是太上老君点化细奴逻的故事。也有的传说中，说成是观音菩萨或者是梵僧点化，而故事的情节却基本一致。这个神话解释了蒙舍诏的起源，值得我们注意的是，神话中称六诏之主原本就是亲兄弟，这种观念显然是蒙舍诏统一了六诏之后才形成的。而太上老君用鹅毛扇在舍龙的犁把上敲了十三下，预示南诏传世十三主的神话内容，肯定是南诏灭亡以后才出现的。

剥去神话的外衣，上述故事传递给我们的信息就是，有一个乌蛮部落当年从哀牢山迁居巍山，经过其首领舍龙、细奴逻父子两代的经营，这个后迁来的部落在当地占据了主导地位，建立了蒙舍诏。

在细奴逻的时代，巍山一带还存在白蛮部落建立的白国。相传白国有一根当年诸葛亮南征时所立的铁质神柱，因年代久远而锈蚀，当时的白国之主张乐进求重新铸造了这根铁柱。在举行落成典礼时，张乐进求特意邀请了西洱河右将军杨农栋、西洱河左将军张矣牟栋、巍峰刺史逻盛、大部落主段宇栋、赵览宇、施栋望、李史顶、王青细莫以及细奴逻等九位大首领前来参加祭祀仪式。据说当时有一只五色鸟飞到神柱的顶端，停留了很久，后来又落到细奴逻的肩上。大家都觉得十分奇怪，就告诫细奴逻不要惊动这只鸟，于是，细奴逻就连吃饭、睡觉都十分小心，一直过了十八天，五色鸟才飞走了。

大家都认为，这是上天命细奴逻为王的迹象，因此张乐进求一再要让位给细奴逻。细奴逻无法推让，只好指着一块大石头发誓说："如果我该当王，剑必入此石。"说罢举起宝剑向石头砍去，只见手起剑落，细奴逻的宝剑果然入石三寸。于是细奴逻称王，并娶张乐进求的女儿为妻。后来人们为了纪念细奴逻盟石当王这件事，就把这个地方的一个村子叫做"盟石村"，相传这个村子就在现今巍山庙街乡。在今庙街乡的盟石祠内，有一块上面有一条缺口的石头，被称为"盟石"，传说就是当年细奴逻所砍的那块石头。

事实是，在当地的族群中，白蛮由于较多地接受汉文化的影响，经济文化比较发达，社会发展水平较高，在隋唐以前就已经成为当地的统治阶层。也正是由于这个原因，在隋唐两代对爨地进行武力打击时，白蛮受到的打击比较沉重，损失比较大，从此走向衰落。正是在这样的契机下，当地乌蛮族群开始兴起，在政治生活中发挥着越来越大的主导作用。有关细奴逻的神话中，白蛮国主张乐进求让位给乌蛮部的细奴逻，实际上正是对当地白蛮、乌蛮势力消长的历史事实的反映。

需要说明的是，19世纪一位名叫拉考伯力埃（Lacouperie）的西方学者曾经提出，南诏是泰族建立的政权。这一观点随即得到了一些欧洲学者的支持，但是其提出的证据却仅仅是现存的南诏语中的几十个字、词中，有两三个单词看起来与泰语相似。比如“诏”，在南诏语中的意思是“国王”、“王子”、“王国”、“侯国”，其发音和含义与现代泰语是完全相同的。显而易见，这种语言学上的孤证是没有说服力的。但是，这种观点却在20世纪初广为传播，甚至泰国王室也自认为与南诏存在血缘关系。只不过随着研究的不断深入，这种说法已经为学术界所抛弃，成为专事猎奇的非专业研究者的谈资了。

乌蛮人的蒙舍诏的悄然兴起，一开始并未引起唐朝方面的关注，毕竟在当时，正是唐王朝的势力重新强势进入西南边疆的时代。在梁建方南征以后，唐朝对西南边疆的控制趋于稳固。

但是，就在这个时候，吐蕃的势力也开始进入云贵高原。

两大势力：唐与吐蕃的争夺

吐蕃是今天藏族的先世。“吐蕃”一词，最早见于唐代的汉文史籍中。学者一般认为，“蕃”，是用汉字标记藏语的“bod”，是古代藏族的自称，是由古代藏族信奉的原始宗教——“本”（bon）音转而来；也有人认为，“蕃”意为农业，与“卓”（bro，牧业）相对。今天藏族仍自称“蕃巴”（bod-pa），汉语里称其为藏族，这个“藏”，可能来自藏语“gtsang”，原意大概是指雅鲁藏布江（yar-klungs gtsang-po）流经之地。吐蕃的“吐”，是大的意思，“吐蕃”的意思就是大蕃，唐代史籍里的这个名称，是对吐蕃向唐朝自称“大蕃”的真实记录。

公元6世纪，藏族的一支先民雅隆部兴起于今西藏山南地区的泽当、琼结一带，在达布聂赛、囊日论赞父子作为雅隆部首领的时候，逐渐将势力扩展到拉萨河流域。到了公元7世纪初，囊日论赞之子松赞干布以武力降服古代羌人的苏毗（今西藏北部及青海西南部）、羊同（今西藏北部）诸部，逐渐统一了青藏高原各部落，并将首都由山南匹播城（今西藏琼结县）迁至逻些（今西藏拉萨），正式建立了吐蕃王朝。

在吐蕃语中，最高领袖称“赞普”。自松赞干布任赞普以来，吐蕃政权就开始了大规模的对外扩张，向北打败了位于今青海地区的党项、白兰、吐谷浑各族，将其控制区域并入吐蕃，向西征服了在今克什米尔地区的大、小勃律，向南夺取泥婆罗（今尼泊尔）等地，成为亚洲内陆新兴起的一股力量。

随着吐蕃王朝的势力向青藏高原之外扩张，吐蕃与唐王朝在三个区域发生摩擦和冲突。

在北方，吐蕃统一青藏高原的进程中，发兵打败了今青海地区的另一个少数民族政权吐谷浑。吐谷浑是唐朝支持下的地方势力，唐朝还将弘化公主下嫁给吐谷浑可汗。公元663年，吐谷浑国灭亡，可汗与唐朝公主率数千帐吐谷浑人流落至河西走廊，请求唐王朝的保护与帮助。但是，公元670年，唐军在大非川（今青海共和县西南切吉平原）遭遇优势吐蕃部队，全军覆没，唐朝的征东名将薛仁贵单骑逃回。河西走廊开始受到吐蕃的威胁，而吐蕃一旦占据河西走廊，就切断了唐和西域各地的联系，唐王朝的西方领土将岌岌可危。

在遥远的中亚，吐蕃也介入到唐、突厥和新兴起的阿拉伯帝国等各种势力的争夺中。唐朝君臣意外地发现，他们虽然刚刚搞定了西突厥，但却突然多出来一个比突厥还要强势的竞争对手。公元670年，吐蕃军队甚至攻陷了唐王朝的安西四镇。

与此同时，吐蕃的势力也开始向与青藏高原毗邻的云贵高原渗透。屈曲山间早已存在的马帮贸易路线，此时成为吐蕃势力进入云贵高原的管道。

面对吐蕃的扩张，唐王朝一开始采取了军事方面的遏制政策，第一步是控制并支持青藏高原边缘地带的吐谷浑王朝，希望将吐谷浑作为阻挡吐蕃北上的一道屏障，也成为唐与吐蕃之间的缓冲地带。在公元634年年底，唐太宗派大将李靖击败吐谷浑，册封慕容顺为吐谷浑可汗，其后，慕容顺被暗杀，公元635年，唐朝又支持慕容顺的儿子诺曷钵为汗，并在公元640年将弘化公主嫁给他。

此时的松赞干布了解到，从前的突厥可汗、吐谷浑可汗，都曾娶过唐朝的公主，为提升吐蕃的地位与影响力，松赞干布派出使臣赴唐求婚。对唐朝来说，这本来是一次施展怀柔政策的良机，但是，正在对吐蕃持武力遏制政策的唐太宗，毫不犹豫地拒绝了松赞干布的求婚。

吐蕃使者回到吐蕃，告诉松赞干布，唐太宗最初是同意求婚的，但正好吐谷浑可汗诺曷钵访问唐朝，正是他的破坏，导致了唐太宗的拒绝。松赞干布在愤怒中攻击吐谷浑，占领了吐谷浑的大部分领土，迫使吐谷浑人逃到了青海湖以北。公元638年，松赞干布又发动约20万吐蕃军，攻击唐朝的松州（今四川阿坝藏族羌族自治州），唐军在侯君集的指挥下打败了吐蕃军。松赞干布撤军，派特使到长安向唐太宗道歉，并再次向唐朝求婚，这一次唐太宗同意了。

唐代著名画家阎立本的《步辇图》，描绘的就是吐蕃使者禄东赞朝见唐太宗的场景。现存画作被认为是宋朝的摹本，藏于北京故宫博物院。

公元641年，被册封为文成公主的唐朝宗室女，在唐朝送亲使江夏王李道宗和吐蕃迎亲专使禄东赞的陪同下，从长安出发前往吐蕃。这一年文成公主年仅17岁。松赞干布来到柏海（今青海玛多）亲自迎接，以子婿之礼晋见李道宗，之后，携文成公主同返逻些。文成公主在吐蕃生活了近40年，被称为甲木萨汉公主，一直备受尊崇。

随文成公主入藏的汉族工匠们将先进的生产技术带到了西藏，推动了当地经济文化的发展。信仰佛教的文成公主的到来，对佛教在西藏的传播也起到了促进作用，但是，这桩政治联姻在其最应该发挥作用的政治领域却似乎并未发生明显的作用，至少吐蕃向云贵高原的渗透并未因此而终止。

尽管和文成公主结婚时松赞干布才只有25岁，但在他们结婚8年之后，松赞干布就去世了。这也可能是这桩政治联姻未能发挥应有作用的重要原因。

吐蕃向云贵高原的扩张，相对于唐朝而言，至少具有两个方面的优势：一方面，来自青藏高原的吐蕃部队对云贵高原的自然地理环境比较适应，类似的高原山区使他们有一种似曾相识的感觉，吐蕃国内经济文化发展水平也与云贵高原各族非常接近，这使吐蕃统治者能够更好地理解当地各族的想法，找到更适合当地情况的管理方法。另一方面，吐蕃与青藏高原上的羌族有一定的渊源关系，而云南各族中，出自氐羌系统的所占比例比较大。仅从语言上讲，藏语属于汉藏语系藏缅语族的藏语支，而云南各族，如彝族、傈僳族、哈尼族、拉祜族、纳西族、基诺族、土家族、白族等，其语言都属于藏缅语族的彝语支，与藏语非常接近。彼此间语言和风俗文化上的相似性，使云南各族更容易对吐蕃人的统治产生认同感。因此我们就不必奇怪，在唐与吐蕃对云贵高原的争夺中，有大量的当地部族倒向吐蕃一方。

吐蕃积极向云贵各地扩张，很重要的原因是吐蕃统治者垂涎云贵各地的财富。可能吐蕃最想得到的资源是盐。在唐代巂州的西南边界地区，也就是今天的云南境内，有大量的盐矿。在吐蕃的对外扩张中，它已经占据了当地的一些盐矿，为保住这些盐矿，将其利益据为己有，吐蕃人进行了各种努力，直到它在这一地区的统治全面崩溃为止。

吐蕃人也同样垂涎云南西北地区出产的马匹和其他牲畜，还有平坝地区出产的农产品和纺织品，以及各种手工业产品，特别是刀剑。由于生产力发展水平落后于唐朝内地，因此，吐蕃人对西南各地物产与资源的渴求是远远超过唐朝的。

吐蕃至晚在公元670年就已经开始向四川西南边界地区扩张了，并逐渐向云南西北部推进，当地部族也开始归顺其统治，随之而来的是唐朝在云南势力的萎缩。

为了遏制吐蕃的扩张，唐朝于公元678年在交通要道上建立了军事据点安戎城。很快，安戎城就受到来自吐蕃的进攻，两年之后被吐蕃攻克。值得注意的是，为吐蕃人充当向导的正是熟悉当地地形的羌人。从此，安戎城反而成为吐蕃人的坚固据点，被吐蕃人占据达数十年之久。

安戎城的陷落也导致了一系列的连锁反应，西南诸族，特别是居住在今大理平坝地区的西洱河蛮，全都归顺了吐蕃。更多的当地部族表面上接受唐王朝的统治，暗地里却和吐蕃结盟。

安戎城的陷落，使唐朝维持在西南地区的统治变得更加艰难，从剑南西川派出的部队也一再受挫，甚至两位高级长官都被当地部族杀死，最终，唐朝不得不放弃其统治西南地区的前哨阵地姚州（治所在今姚安）。现在学者推测，唐朝决定放弃姚州的直接原因恰恰是当地部族在吐蕃的支持下打败了唐朝的军队。

但仅仅10年之后，当地的形势就开始出现有利于唐朝的变化。公元688年，当地两个强有力的部族首领——爨乾福和王善宝，主动向唐朝提议重建姚州都督府。

他们为什么会有这样的请求？

固然，爨乾福是唐朝任命的晋宁州刺史，王善宝是唐朝任命的安宁州刺史，可以说，他们都是当地部族首领中亲唐势力的代表，但仅凭这一点，显然不足以令他们在吐蕃势力蒸蒸日上时完全倒向唐朝一边，而提出如此刺激吐蕃人的建议。

更深层次的原因应该是，随着吐蕃势力在云南各地的推进，云南各族对吐蕃政权的了解也越来越深入。原来唐王朝在西南各地实行羁縻统治，并不向当地各族征缴赋税，而刚刚到来的吐蕃人却不一样，向当地索要贡赋是其征服的主要目的。原来唐王朝任命当地各族首领为羁縻州县的刺史、县令，尊重他们对当地的统治，他们拥有相当广泛的自治权，对当地事务唐朝中央很少过问，而新来的吐蕃人却不一样，他们在努力加强对当地的控制，逐渐地削弱本土地方势力的权力与实力，干涉他们的自治。将唐王朝的统治与吐蕃人的控制相对照，当地各族首领感觉到，归附于唐王朝对他们是更为有利的，在吐蕃人的统治下，他们不仅在经济上受到剥夺，在当地的权力也早晚会丧失殆尽。

从维护自身的半自治地位的切身利益出发，有远见卓识的当地首领开始希望唐朝的势力重新进入这一地区，将吐蕃的势力排斥出去。

爨乾福、王善宝不仅建议唐朝重设姚州都督府，希望唐朝的势力重新归来，还向唐朝保证，当地完全可以拿得出支撑姚州都督府的课税，不需要劳烦四川，重设姚州都督府不会给唐朝中央增加任何经济上的负担。

需要说明的是，王善宝的家族自称出自汉族的王氏，原籍是在西北的太原。爨氏、王氏都对外宣称来自西北，本是汉人，可以看作是云南东部地区受汉文化影响比较深的强宗豪族的代表。换句话说，在吐蕃与唐朝对云南的争夺中，云南东部的强宗豪族是倾向于站在唐朝一边的。云南西北部的各族首领却与吐蕃关系更为密切一些。从中我们可以看出，文化方面的差异，对当地各族首领的政治取向具有明显的影响。

不管怎么说，唐朝重建了姚州都督府。公元689年，踞有洱海以北的浪穹部落又归顺了唐朝。浪穹部落大约是在公元680年安戎城陷落以后，与吐蕃结盟的，在时隔八九年之后，他们又叛吐蕃归唐，这在西南各族中引起了极大的反响。

公元688年至公元694年，唐朝重新占领了西南的不少地区，在当地的势力处于稳步增长中，而吐蕃人的势力确实有较大的退缩。就整体而言，唐与吐蕃在这一轮竞争中，唐朝是逐渐获得胜利的一方，标志性事件是在公元692—693年，唐朝在中亚收复了被吐蕃攻占的安西四镇。不论是在中亚还是在中国的西南边疆，吐蕃的扩张都受到唐王朝的全面压制。

可是唐王朝在西南各地的统治随即出现了问题。

随着姚州的重建，被派往当地任职的唐朝官员的腐败行为，几乎将唐朝所有的政策方面的优势全部抵消，唐朝官员的腐败贪污在当地民众中形成极为恶劣的影响，随后，自四川流窜而来的流浪汉、亡命徒、无赖之徒，在当地无恶不作，更是将这种恶劣的影响推向了极致。爨乾福和王善宝呼吁唐朝重建姚州时，曾向唐朝承诺当地不会再出现反唐的骚乱，但事实情况是，姚州复设之后，当地各种骚乱不断，而且有愈演愈烈之势。对当地骚乱的镇压增加了唐朝地方政府的行政开支，维持对云南各地的统治的成本在持续上升中，而且唐朝对当地各族是没有正式税收的。

因此，部分官员主张重新放弃姚州，停止这种不必要的开支，其代表人物是张柬之，他在一份奏章中说：

前代置郡，其利颇深。今盐布之税不供，珍奇之贡不入，戈戟之用不实于戎行，宝货之资不输于大国，而空竭府库，驱率平人，受役蛮夷，肝脑涂地，臣窃为国家惜之。……今减耗国储，费用日广，而使陛下之赤子身膏野草，骸骨不归，老母幼子哀号望祭于千里之外，于国家无丝发之利，在百姓受终身之酷，臣窃为国家痛之。

张柬之所说完全可以用一句话来概括：维持对西南的统治，国家有百害而无一利。与此同时，流窜到当地的大量流浪汉和亡命徒，专以抢劫为业，对当地造成极大的混乱。因此，张柬之建议，放弃姚州，放弃泸水河以南各地，在泸水河以北设立边关哨所。泸水河以南应该变成当地民族自治地区，只要他们的首领每年朝贡一次就可以了。

从后代的历史发展来看，宋朝开国皇帝赵匡胤对西南边疆的政策，应该是受到了张柬之上述说法的影响。但在当时，执政的女皇武则天却没有接受张柬之的建议。非常巧合的是，张柬之后来非常积极地参与了废黜女皇武则天的政变，不知道对西南边疆问题的政见不合，是否也是张柬之努力废黜武则天的原因之一呢？

公元8世纪初，姚州当地各部族又重新倒向吐蕃了，他们联结吐蕃进攻唐军，由此导致了唐将唐九征的远征。唐九征打败了当地的部族，并在滇池立铁碑纪功，这根铁柱的设立意义非同寻常，此后，唐朝列举自己对洱海地区曾行使有效统治的证据时，都会提到唐九征的铁柱。

此后，唐王朝不断派部队南征，也不断地增加部队的数量，而唐朝对当地的统治力度却似乎并未得到加强。唐王朝的君臣迫切地感觉到，要加强对当地的统治力度，就必须与当地部族合作。但当唐朝希望在当地找到一个强有力的合作者的时候，才非常悲哀地发现，当地各部族竟然都在某种程度上与吐蕃保持着联系。

似乎与吐蕃政权没有任何联系，并且对唐朝的忠诚度可以保证的，只有一个蒙舍诏了。

重大事件：六诏的最终统一

自从公元653年采用和平手段从当地白蛮首领张乐进求手中获得统治权之后，蒙舍诏的统治者们就一直与唐王朝保持着密切的关系。蒙舍诏地处六诏的最南端，因此也被称为南诏。由于地处洱海之南，同其他各部族相比距吐蕃比较远，所以南诏不易受到吐蕃的影响。

但是，他们真的与吐蕃没有任何联系吗？答案似乎是否定的。

美国学者查尔斯·巴克斯认为，根据《吐蕃历史纪年》记载，于公元733年抵达吐蕃的“蛮”的使团首领就是南诏的皮罗阁。而皮罗阁很可能在公元729年已经即位成为南诏之主了。如果其研究是可以相信的，那么，南诏王皮罗阁亲自率使团来到吐蕃朝廷这一行动，又说明了什么呢？

自公元731年，吐蕃赞普与金城公主多次遣使入唐，请求与唐再订和盟，划界互市。正是在公元733年，唐派张守珪、李行祎与吐蕃使莽布文会盟于赤岭，商定双方以赤岭为界，并于甘松岭（今四川松潘县境）及赤岭互市。可见，恰好就在唐与吐蕃重新会盟的这一年，南诏王皮罗阁率使团来到吐蕃朝廷，这又说明了什么呢？

南诏对唐与吐蕃关系的高度关注，不正好说明了南诏游走于唐与吐蕃之间的政治态度吗？显然，南诏在向唐朝称臣的同时，也向吐蕃表示顺从，这也是弱者在两大强者的夹缝中求生存的正常态势。

虽然对此事我们不宜作过多的引申，但是，由此判断当时的南诏至少在表面上存在对吐蕃的隶属关系，应该还是可信的。

我们也应该注意到，唐朝相信南诏是绝对忠于自己的。因此，唐朝选择支持南诏。

但是，当时的云南西部洱海区域已经存在着被统称为“六诏”的许多部落，南诏只不过是六诏之一。显然，为了在当地扶植起来一个强有力的合作者，唐朝应该支持南诏对六诏进行统一，而事实上，唐朝也确实是这样做的。

“诏”，在当地民族的语言中是王的意思，所谓“六诏”，实际就是指六个小王国，其首领称诏，也就是称王。具体说，六诏包括：蒙舍诏、蒙嶲诏、越析诏、浪穹诏、邓赕诏、施浪诏。这六个“诏”，被合称为“六诏”，其中蒙舍诏就是后来非常有名的南诏。上述六诏的名称，有的在史籍中存在不同的记载，参见下表，这里举出的是其最通用的名称。

实际上，当地的政治势力并不仅仅是六诏，还有两个存在时间比较短的部落，一个是由时傍建立的，他和蒙舍诏的统治者有姻亲关系，另一个是由矣罗识诏的首领建立的。两者都曾试图建立自己的小王国，但却未能成功。如果将他们也作为两诏的话，总共就有了八个诏。我们可以将各诏的地理位置及其被南诏征服的时间列表如下。

六诏（或八诏）表

名称（异名）	大概方位	被征服时间
蒙舍诏（南诏）	在今巍山彝族自治县境内	
蒙嶲诏（蒙越诏）	在今巍山县北部至今漾濞县一带	约713年
越析诏（磨些诏）	在今宾川县宾居街一带	约732年
浪穹诏（剑浪诏）	在今洱源县城区一带，后逃至剑川	737年逃，749年被征服
邓赕诏（越赕诏）	在今洱源县南部邓川一带，后逃至鹤庆附近	737年逃，749年被征服
施浪诏（漾濞诏）	在今洱源县北部的三营一带	737年逃，749年被征服
时傍诏	在今洱源县南部邓川一带，后居于祥云附近	730年后
矣罗识诏	剑川一带	730年后

六诏或者八诏的地域，主要是在以洱海为中心的洱海湖区，东至金沙江及其支流一泡江，西至漾濞江，北至剑川，南至今巍山、弥渡二县。

上述各诏的统治集团都出自乌蛮，也就是今天彝族的先世，而其百姓，除乌蛮外，还包括大量的白蛮，也就是今天白族的先世。其中越析、邓赕、施浪、浪穹四诏，居民中白蛮占多数。无论白蛮还是乌蛮，其语言都属于汉藏语系的藏缅语族，因而我们可以说，六诏以及后来统一后的南诏，其主要居民是操藏缅语的民族。

早在20世纪初期，国外学术界就流传着一种说法，认为南诏国内的居民主要是泰人，即与今泰国同出一源。代表性学者是伍德。正如美国学者查尔斯·巴克斯所说："伍德的主要观点已被现代泰国的知识分子全盘吸收并用以解释他们自己国家的起源。很快，南诏与现代泰国同为一体的大胆假设在泰国就变成神圣不可侵犯的理论，南诏历史的光辉时代现已成为大多数泰国人妄自尊大的资料。"但事实证明，这种说法是靠不住的，现在基本已为学界所抛弃。

六诏是在汉代昆明国的经济、文化基础上发展而来的。这一区域本来就是今天云南境内一个经济文化比较发达的地区，至三国时期，当地各族与蜀汉政权保持着密切的联系，特别是在诸葛亮南征之后，甚至有些当地部族的首领被吸纳到蜀汉朝廷中担任官职，当地也就与四川保持着更为密切的经济文化互动。对外互动频度的增加，促进了当地经济文化的发展，使之逐渐成为云南西部平坝地区的一个地方文化中心。至南北朝以后，当地逐渐形成以白蛮为统治集团的地方势力。

至公元7世纪中期，唐朝经略西南边疆的时候，特别是在梁建方、赵孝祖南征之后，当地白蛮集团的势力受到沉重打击，杨、李、赵、董等白蛮大姓都被分割成小块，政治上陷入混乱、分散的局面，因而乌蛮各部才乘势而起，逐渐在当地的政治生活中发挥主导作用。从这个角度我们可以说，正是唐朝的介入，改变了当地的政治格局。

公元653年，白蛮首领张乐进求让位于乌蛮蒙舍诏的首领细奴逻，就是当地白蛮衰落、乌蛮兴起这一大的历史背景下的产物。

在张乐进求让位于细奴逻的传说中，并没有记载确切的时间。不过公元653年，细奴逻派他的儿子也是他后来的继承者逻盛赴唐朝首都朝贡，张乐进求的让位肯定在此之前，因此通常就将南诏第一位首领细奴逻取得权力的时间确定在这一年。笼统地说，南诏的出现不会晚于公元7世纪中叶，很可能会更早一些。其他五诏的出现大约是在同一期间。

就地理位置而言，南诏是六诏中最靠南边的一个，因此在早期较少卷入唐和吐蕃政权之间的争夺中，也基本没有受到唐军南征的影响。北方，点苍山以北、洱海以北的浪穹、施浪、邓赕三诏，由于持续受到唐军南征的威胁，因而在吐蕃的势力沿着今四川边缘地带进入洱海以北之后，就都投靠了吐蕃政权，想要依靠吐蕃的支持对付唐王朝，以便保持自己的半独立地位。与北方各诏的这种态度形成鲜明对比的是，南诏的前三代统治者坚持派遣使团赴唐朝贡，至少在表面上保持着与唐朝的合作。

唐朝在西南的势力内缩期间，南诏是唯一的与唐朝合作的当地势力。因此，当唐朝的势力重返云南并试图在当地扶持一个合作者的时候，南诏就成为唐朝君臣的首选。

大约是在公元8世纪初，经历三代的经营以后，南诏开始了统一六诏的进程。

关于南诏的统一过程，一直流传着一个故事。南诏第四主皮罗阁用最易燃的木料松明建了一座楼，故名松明楼。然后他派人通知其他五诏，说六月二十五日是星回节，请各诏之主都到南诏来共同祭祖。五诏首领到来后，皮罗阁在松明楼设宴款待，当酒宴进行到高潮之时，皮罗阁偷偷下楼，然后命令士兵点火焚楼，其他五诏的首领都被烧死在松明楼中。这样皮罗阁派部队轻松地占领其他五诏的领土。这个故事虽然流传很广，但是，当然是不可信的。实际上，南诏对六诏的统一经历了一个相当漫长的过程。

南诏征服的第一个诏是蒙嶲诏。

蒙嶲诏与南诏紧邻，两诏同处于阳瓜江河谷之中，都在今巍山彝族自治县境内。蒙嶲诏的西境可能已经达到漾濞江，因此有学者认为，蒙嶲诏在史书中也被称为“样备诏”，“样备”，就是“漾濞”的不同译写而已。

征服蒙嶲诏的是南诏第四主，就是上面提到的传说的主人公皮罗阁。由此看来，蒙嶲诏的立国时间可能与南诏非常接近，因为到蒙嶲诏灭亡时，前后也是经历了四代首领：嶲辅首—却阳照—昭原—原罗。

很可能是在公元8世纪初，蒙嶲诏在与南诏的竞争中就已经落于下风了。再加上第三主昭原晚年双目失明，不得不将儿子原罗送到南诏去做人质，也换来与南诏间的暂时的和平。而皮罗阁却不满足于蒙嶲诏的依附地位，而是要将其彻底吞并，于是他设计送原罗回蒙嶲诏，然后杀死昭原，使原罗成为蒙嶲诏之主，继而又派兵驱逐了原罗，完全吞并蒙嶲诏。据马长寿先生的研究，这可能是公元713年以前的事情。

灭亡蒙嶲诏之后，南诏的势力进一步北上，将矛头指向了越析诏。

越析诏位于今宾县境内。其首领出自磨些人，因此史书中也称之为“磨些诏”，磨些人也就是我们前面提到过的磨些蛮，现在一般认为是今天纳西族的先世。

就在南诏的势力节节进逼的时候，越析诏竟然还出现了内乱。越析诏的一个豪族张寻求，与诏主波冲的妻子私通，被波冲发觉，张寻求慌乱之中谋杀了波冲。皮罗阁敏锐地意识到这是一个可乘之机，他立即将此事向唐朝的剑南节度使王昱作了汇报。

皮罗阁早就意识到，要完成对六诏的统一，必须得到唐王朝的支持，因而南诏政权一直与唐王朝在四川的地方官员们保持着良好的关系。王昱就任剑南节度使之后，罗皮阁就已经给他送过巨额的贿赂，并向他表示过自己要统一六诏的愿望。也正是这个王昱，积极向唐朝中央建议扶持南诏，而且他向唐朝的皇帝担保，皮罗阁是绝对忠于唐朝的。到这个时候，皮罗阁的前期铺垫开始发挥出巨大的作用。

王昱接到皮罗阁的报告后迅速作出反应，作为唐朝的剑南节度使，他开始行使自己对六诏地区的管辖权。王昱以上级领导的身份传唤张寻求，并揭露他谋杀波冲的罪行，名正言顺地将张寻求处死。然后，王昱借口越析诏已经没有合法的继承人了，将越析诏的领土并给南诏的皮罗阁来管理。

直到这时，皮罗阁才正式出场，奉王昱的命令来接收越析诏的领土。波冲的侄子于赠率越析诏的部队进行了抵抗，但在皮罗阁的儿子阁罗凤亲自统率的南诏大军的打击下，很快就战败溃逃了。大约是在公元732年左右，南诏吞并了越析诏。

灭亡越析诏之后，南诏的疆域已经北扩至洱海附近，皮罗阁又开始进攻居于今洱海以西和点苍山东麓的洱河蛮。在六诏分立的时候，洱河蛮有自己的领域，不服从于任何一诏，可以说是一个独立的白蛮自治地区。

南诏进攻洱河蛮的战役之所以进行得非常顺利，也与唐朝的帮助密切相关。《德化碑》上提到，一个名叫严正诲的唐朝官员不仅与皮罗阁一起设计了这场战役，还亲自参加了战争。当南诏发动对洱河蛮的进攻时，邓赕诏与南诏合作，夹攻洱河蛮，乘机瓜分大理以西至点苍山的洱河蛮的领土。

邓赕诏、浪穹诏、施浪诏是北部的三个诏，就地理位置上看，呈掎角之势，三诏也经常联盟一致对外，因此在史书中被合称为“三浪诏”。

三浪诏的历史可能比南诏要短，史书中记载的其历代首领的名字如下：

浪穹诏：丰时—罗铎—铎罗望—望偏—偏罗矣—矣罗识

邓赕诏：丰咩—咩罗皮—皮罗邓—邓罗颠—颠之托

施浪诏：施望欠—施望千—千傍—傍罗颠

发动对洱河蛮进攻的邓赕诏首领是咩罗皮，他没有想到的是，在打败洱河蛮之后，南诏的部队立即掉过头来向邓赕诏的军队展开了进攻。咩罗皮兵败，退守邓赕，派人联络邓赕诏的老盟友浪穹诏、施浪诏共同对付南诏。

令人感到意外的是，邓赕诏、浪穹诏、施浪诏的联军竟然被南诏轻松击溃，三诏损失惨重。邓赕诏的首领向北逃到野共川，大约在今天的鹤庆附近；浪穹诏的首领向北逃到剑川，成为后来有名的剑浪诏；施浪诏的首领施望欠投降南诏，并将漂亮的女儿献给皮罗阁，他被南诏的军队带回南诏的都城，最终老死在那里。三诏的疆域基本都被南诏吞并，这大概是公元737年的事情。

施望欠的弟弟逃到了吐蕃并被吐蕃人立为“诏”，吐蕃人帮助他回到剑川一带。这样，邓赕诏、浪穹诏、施浪诏的残余势力就都在吐蕃人的支持下，在剑川一带立足。与三浪诏的势力聚集在一起的，还有同样被南诏从原居住地赶出来的洱河蛮残余势力。苍山洱海间的政治格局变成了吐蕃支持下的三浪诏，与唐朝支持下的南诏之间的对峙了。但是，随着唐朝势力在西南的增长，最终在公元749年，三浪诏的残余势力被南诏彻底征服了。

邓赕诏在咩罗皮时代的都城现在已经被考古工作者发现。城址在剑川的邓川旧城东北1公里，背依大山，西凭深堑，东临弥苴河。古城建在一个山冈上，用夯土筑成，面积很小，仅有3000平方米，应是供少数人居住的城堡。

在前面提到的皮罗阁火烧松明楼的传说中，还有一个有趣的细节。被后世称为“慈善夫人”的邓赕诏首领的妻子，已经觉察到皮罗阁的宴请别有用心，她劝丈夫不要赴会，在劝阻无效之后，她拿出一只铁钏给丈夫戴上。皮罗阁烧死五诏首领之后，派人给各诏送信，说五王酒醉，不巧松明楼失火，五王因醉未能逃离，请各诏派人来认领遗体。其他几王的尸体都被烧得无法辨认了，只有慈善夫人根据丈夫臂上的铁钏认出了丈夫的遗体，将之拉回邓赕诏安葬。皮罗阁惊叹于慈善夫人的智慧，想娶她为妻，但慈善夫人在坚守邓赕诏不果的情况下自尽了。至今还流传着一种说法，云南白族、彝族等族盛行的火把节，最初就是为了纪念松明楼事件以及慈善夫人殉国。还有传说，白族女孩子有用凤仙花染红指甲的风俗，最初就是为了表示对慈善夫人用双手在松明楼的废墟中刨寻丈夫遗体以至十指鲜血淋漓这一感人行动的纪念。

清代艾濂《谒慈善夫人祠》就是一首纪念慈善夫人的著名诗篇：

山坳古庙千尺柏，拔地参天傲霜雪。岁寒然后知后凋，其为木也坚多节。君不见，邓赕诏妻宁北妃，蕙质兰心秀且洁。皮罗阁焚松明楼，四诏一时共殄绝。独有慈善识夫骸，铁钏未经火销灭。鸾凤岂逐驾鸯群，日为盟心惨烈。心惨烈，声悲咽，不愿偷生愿同穴。闭城固守莫可支，甘从井底泉下别。南诏悔而旌其城，德源至今人称说。年年岁岁荒城头，春夜啼尽子规血。

对于南诏的统一举动，唐朝给予了大力支持。在此后南诏进攻矣罗识的战役中，唐朝再次派出由王承训率领的大军前往支援，最后导致矣罗识战败逃到吐蕃，在逻些度过了余生。

尽管三浪诏的余部仍旧在进行一些无谓的抗争，但是至公元8世纪90年代，南诏已经彻底地完成了对六诏的统一，所有的对手要么被征服，要么被驱逐出洱海地区，大理平坝区域现在已经全部控制在南诏的手里了。

在打败邓赕诏、施浪诏、浪穹诏之后，在公元739年，皮罗阁将南诏的都城从蒙舍迁到了大理平坝的太和城。

太和城的遗址位于今天大理县城和下关市之间的太和村西边，距大理县城7.5公里。遗址至今尚存北、南两道城墙。北城墙的西端从点苍山佛顶峰起，向东延伸至洱海之滨，全长约2公里，南城墙的西端从点苍山五指山起，向东延伸至洱边村，全长约1公里。太和城的主要建筑多位于点苍山的缓坡上，据说当地语言称山坡为“和”，故称这座山城为“大和城”，或“太和城”。

南诏选择太和城为王都是具有战略意义的。该城西靠险峻的点苍山，东临洱海，城西和城东不需构筑城墙，直接利用点苍山和洱海之险作为屏障，南端和北端分别有龙首关（上关）和龙尾关（下关），是一个易于防守而又十分富庶的平坝。在此之后，大理平坝便成为南诏的政治、经济、文化中心。

公元779年以后，虽不再作为南诏王都，但太和城仍继续使用，经历了唐、宋两代至元初，前后存在了五百多年。元朝建云南行省后，云南省的政治、经济、文化中心由大理转移到昆明，太和城才逐渐衰败了。

南诏统一了六诏，高兴的不仅仅是皮罗阁，还有唐朝君臣，他们觉得，自己支持的地方势力在竞争中胜出，意味着自己在云南的势力完全有把握遏制吐蕃的渗透了，唐与吐蕃对云南的长期争夺，看来要以唐朝的获胜而告终。为了对皮罗阁统一洱海地区表示奖励，唐朝赐给他更显赫的封号——云南王，只有皮罗阁和他的继承者阁罗凤从唐朝获得过这一封号。若从封号的政治意义分析，这意味着唐王朝不仅承认了南诏对原来六诏所有地区，即洱海地区的统治，甚至授权皮罗阁可以控制整个云南。

统一之后的南诏，在皮罗阁和阁罗凤两王在位期间走向了全盛。

南诏的统一，改变了中国西南边疆的政治格局，当地局势由混乱逐渐走向明朗。当地的地方势力已经在外在的压力下完成了整合，形成两大势力——以洱海地区为中心的云南西部的南诏和云南东部地区的两爨。在唐王朝的统治者看来，南诏是他们一手扶植起来的，对唐朝的忠诚是没有问题的，只要唐朝再牢牢地控制爨地，那么，就可以完全将吐蕃的势力逐出云南，就可以保证大唐西南边疆的长治久安。

可是，爨地的局势却不那么如人意。

第三章

第三章

鼎盛：天宝之战

东晋至唐初，云南东部及贵州西部一直被爨氏占据，形成一种自治的地方割据势力，历代中原王朝对此情况也无可奈何。唐朝一开始对爨氏采取羁縻体制进行管辖，封其首领为刺史、县令等官职，分别归唐朝边疆的各都督府就近统属。隋与唐都曾经通过战争手段使爨氏臣服，但由于条件所限，无力在当地进行直接统治，只能退而求其次，设置羁縻府州。总体来说，唐王朝对于爨地的行政干预是比较有限的。

南诏征服六诏的前后，唐朝的剑南节度使是章仇兼琼，他姓章仇，这是一个比较少见的姓氏。为了加强对爨地的控制，章仇兼琼采取了一系列针对爨氏的积极措施，在滇东的主要产盐地安宁建府，并派遣一位名为竹灵倩的官员驻守，建立起较之以前更强有力的统治；同时，章仇兼琼还要修筑一条从今天四川南下，自安南都护府，穿过爨地经过步头（今云南元江）直达安南（今越南）的道路，这条路被称为“步头路”。

爨地危机：南诏见缝插针

章仇兼琼也算得上是一员干吏，在当时官声也不错，但他出名却并非因其政绩，而是因为推荐了一位比他更出名的人——杨国忠。

杨国忠，原名杨钊，他的堂妹杨玉环，是唐玄宗当时最宠爱的妃子，就是后世大名鼎鼎的杨贵妃，是章仇兼琼的属下鲜于仲通将杨国忠介绍给了章仇兼琼。

章仇兼琼惊喜地发现，杨国忠是个“可居的奇货”：首先，杨国忠当时很落魄，容易拉拢；其次，杨贵妃正为唐玄宗所宠幸，杨国忠作为杨贵妃的堂兄，一旦入朝为官，极有可能会获得重用。因此，章仇兼琼大力提拔杨国忠，并派他携重金到京城经营。接下来的事情就顺理成章了，杨国忠入京为官，自此飞黄腾达，而章仇兼琼因此得以与杨氏兄妹拉上关系，其政治地位与前途也得到了保障。

其实，章仇兼琼推荐杨国忠，既是一次典型的政治投机，在很大程度上也是自保的手段。当时，朝中大权正为臭名昭著、口蜜腹剑的奸臣李林甫所把持。按唐朝惯例，在边境立有大功的文臣武将往往会在日后入朝拜相，因为担心边将立功拜相会威胁自己的宰相之位，李林甫素来对镇守边境的有功之臣颇为忌惮。章仇兼琼身居节度使之位，虽然有收取安戎城之功，但在朝中却没有后援，很容易遭到李林甫的忌恨，所以章仇兼琼急于在朝中寻找一个可靠且强有力的靠山。

就本心而言，章仇兼琼并不喜欢杨国忠，他很清楚，这个家伙在老家的时候就是典型的恶棍，但问题在于，这个恶棍有机会执掌重权，如果没有他的庇护，自己的处境就会很危险。在政坛上摸爬滚打多年的章仇兼琼很清楚这里边的利害关系，在经过短暂的犹豫之后，他选择了向现实妥协。在章仇兼琼看来，杨国忠固然可恶，但充其量就是个无赖，应该没本事掀起什么大的风浪。章仇兼琼绝不会想到，一个天大的祸根竟由自己亲手种下。

有一点需要我们注意，章仇兼琼、杨国忠以及那位将杨国忠推荐给章仇兼琼的鲜于仲通，都出身于剑南当地那种虽非极其显赫但亦颇有名望的家族，可以说，他们是剑南地方势力在朝廷中的代言人。章仇兼琼要修筑自今四川经云南直达越南的“步头路”，我们看不出在当时的形势下修筑这条路有何种政治、军事方面的意义，由此推测，章仇兼琼修路可能更多地是从经济角度考虑，也就是说，是为了服务于四川与云南、越南之间的贸易，不言而喻，这种跨地区贸易的最大受益者正是剑南那些并不显赫却通过经商致富、在当地极具影响力的大家族，换句话说，就是章仇兼琼本人以及杨国忠、鲜于仲通所代表的地方势力。虽然缺乏直接的证据，但我们有充分的理由怀疑章仇兼琼、鲜于仲通、杨国忠三人可能从中获取大量的经济利益，并将其转化为政治利益。

无论章仇兼琼最初的动机是什么，这一系列的政策如果能得到实施，滇东地区就会被唐朝分割包围，其经济命脉也会被唐朝所掌握，最终不免为唐朝彻底控制。对此，章仇兼琼很是得意。这是他在收复安戎城之后的一个规模更大的计划。在他看来，这一计划公私兼顾，大唐可以兵不血刃而得到滇东之地，自己则名利双收，大捞一笔且能得到朝廷的嘉奖。这一切本来都有可能成为现实，但前提是他的计划中没有那个唯一却致命的漏洞。

这个漏洞就是爨氏的反应。

爨氏已占据滇东五百余年，可是，章仇兼琼在此筑城修路，使爨氏在此地的统治产生了极大的危机。一方面，工程所需要的资金和劳动力全部转化为赋税和徭役，给爨地造成沉重的负担；另一方面，一旦安宁府和步头路修筑完成，爨氏的权力根基就会被极大地动摇，到最后爨氏的基业很可能会被全盘夺去，当地被归入中央直辖。因此，为了保住自己的利益，爨氏针对章仇兼琼的计划作出了强烈的反应。

大约在公元746年，多名爨氏贵族起兵攻下了安宁府，杀了章仇兼琼的手下——越嶲都督竹灵倩。

章仇兼琼没有料到爨氏会摆出一副破釜沉舟的架势，完全没能作好应对准备，被打了个措手不及。爨氏的反叛已经使章仇兼琼焦头烂额了，但此时最令他担心的却还不是爨氏，而是朝廷。

章仇兼琼心里很清楚，正是因为自己的轻举妄动，才使得一直对唐朝俯首称臣的爨氏反叛朝廷，如果唐朝对爨氏百年的苦心经营就此毁于一旦，那么自己是无论如何也担待不起的。更要命的是，置安宁府，修步头路，都是自己一手策划的，如果朝廷追查下来，他就是最大的且唯一的责任人。

但章仇兼琼不愧是官场老手，他很快就找到了一个最合适的替罪羊——爨氏。章仇兼琼把一切罪责都推到了爨氏身上，指责他们不服管理，犯上作乱。由于唐玄宗对章仇兼琼印象不错，又有老朋友杨国忠保驾护航，章仇兼琼平安过关，之后被调入中央，任户部尚书，虽未如预期立一大功，但至少把性命和官位都保住了。

章仇兼琼这边虽然没事了，但爨氏的叛乱尚未收场。由于南诏的皮罗阁与唐朝之间的友好关系，加之地理条件上的便利，唐朝便委派皮罗阁代表唐朝对爨氏进行干涉和镇压。

皮罗阁对爨氏采取了边打边拉的手法，一方面用武力迫使爨氏的首领归顺降附，另一方面利用自己在唐朝的身份，代表爨氏向唐朝求情，使其得到唐朝的宽恕。这一招颇为高明，南诏同时在爨氏和唐朝双方心目中留下了好印象，同时也达到了自己的目的，既完成了唐朝交给他的平定爨地的任务，又一定程度上成为爨氏的保护者。

爨地的叛乱被平息之后，唐朝的安宁城堡又得以重建，似乎筑路风波已经可以告一段落了，但事实上事情并没有那么简单。

唐朝因为筑路事件受挫于爨氏，有损于其在西南地区的实力和威望，不甘心自不必说，更希望能通过一场胜利挽回局面。在当时，爨地实际上被分为东、西两部，这种情况已持续了几个世纪，直到公元8世纪的上半期，爨地仍然存在着纷争和动乱。在安宁城的唐朝官员李宓决定针对爨氏内部的分离加以煽动，使之扩大加剧，以达到通过内斗削弱爨氏的目的。在李宓的挑拨下，爨归王的侄子崇道先杀死他的叔父，之后又杀死他自己的兄弟，这次内部纷争在爨氏中引起了巨大的恐慌。

截至此时，李宓的计划进行得还算顺利，但接下来的事情就完全不在他的控制之内了。

李宓的计策成功地在爨氏内部引发了动乱和衰落，但如果要扩大唐朝对爨氏的影响和控制，唐朝势力必须乘此机会及时进入爨地，平息叛乱，稳定局势，填补爨地的权力真空，方能收服爨部。但是在经过筑路风波之后，南诏已经超过唐朝，成为对爨部影响最大的保护者，因此，南诏介入爨氏内乱的速度和力度都远胜于唐朝。

李宓辛辛苦苦挑起爨部内乱，为唐朝进入爨地创造借口和机会，但最终却成了为人作嫁衣，其心中的愤恨可想而知。

爨归王被杀之后，南诏迅速介入爨地的内乱，皮罗阁让爨归王的儿子爨守隅成为其继承人，并再度利用自己在唐朝的影响力，使唐朝认可了爨守隅，让他承袭了他父亲的职位和封号，并被授予南宁州都督的职位。皮罗阁还将自己的女儿许配给了爨守隅，似乎已经决心对其鼎力支持。可是，皮罗阁在帮助爨守隅的同时，又在暗中支持崇道一派，把自己的另一个女儿嫁给了崇道的儿子崇辅朝。皮罗阁同时对两派表示支持，挑拨双方继续争斗，自己则在一旁推波助澜，坐收渔人之利。待爨部的内乱进一步扩大之后，皮罗阁认为时机已经成熟，就派遣大军东进，捕获了爨崇道及其家眷和部下，爨崇道和他的两个儿子都被杀死。

这些事件都发生在公元747年。次年，皮罗阁去世，其子阁罗凤继承了云南王的地位。

皮罗阁一统六诏，也称得上是西南地区一代枭雄。他的儿子阁罗凤的政治手腕比其父有过之而无不及。爨守隅本以为爨崇道父子被杀，自己就成了真正的爨地之主，但他没有想到，在爨崇道父子死后，自己的利用价值也就不存在了。在阁罗凤的操控下，爨守隅没有成为爨部的首领，而是被驱逐到一个叫河赕的地方居住，大概在今天的大理平坝。

爨守隅住在河赕，不仅长久不得与唐朝官员接触、与中原相通，甚至与爨部居民的联系也被切断了，这就彻底断绝了爨守隅重新执掌爨地大权的可能，爨守隅事实上已经成为阁罗凤的囚徒。另一方面，阁罗凤用武力胁迫西爨的大部分居民，据说有20万户，迁往遥远的永昌城（在今保山），余下的东爨居民大都逃亡，散居于山林谷地之间。

至此，爨地已经基本上被南诏所控制。到后来唐朝与南诏间爆发战争的时候，南诏正式把云南东部地区并入其王国。

如果我们从整体出发，将唐朝与南诏在此次事件中的表现作一个对比的话，我们会发现，唐朝对爨地采取的政策过于轻率、急于求成和缺乏远见，唐朝对实行压制爨氏政策将出现的危险估计不足，激起爨氏的激烈反抗，导致唐朝在当地的统治受到削弱。而南诏的首领则采取了明智且灵活的手段，在条件尚不完备时耐心等待，避免过早地暴露目标和实力，一旦时机成熟，就毫不犹豫，尽全力实现自己的目的。同时南诏方面还善于借力来达成对自己有利的局面，无论是李宓、唐朝政府，还是爨守隅、爨崇道，都成为南诏利用的对象。最终，南诏在爨地的纷争中得到的利益竟然远远超过唐朝。

爨地的危机充分地表现出，南诏已经不是唐朝君臣想象中的那个绝对忠于朝廷的云南代言人了。兼并六诏之后的南诏，随着势力的迅速膨胀，其政治野心也在同步增长。皮罗阁和接下来的阁罗凤，已经不再满足于向唐朝与吐蕃表示恭顺，以换取他们对自己政权的承认，而是要进一步扩张实际控制区，增强实力，独霸云南，成为中国西南边疆与唐朝、吐蕃三足鼎立的政治力量。

唐朝给皮罗阁、阁罗凤两代南诏之主的封号都是云南王，不知道是不是对南诏控制云南这一现实的无可奈何的认可。

在唐朝最初的战略构想中，南诏的作用主要在于遏制吐蕃在西南地区咄咄逼人的扩张之势，唐朝要借用南诏，在唐朝与吐蕃之间建立一个战略缓冲地带，也希望借助南诏的力量牵制、打击吐蕃以及当地依附吐蕃的势力。但在南诏坐大之后，它俨然已经成为同时排斥唐朝和吐蕃的地方势力了。

但是很可惜，很多唐朝官员似乎并没有注意到云南局势这种微妙的变化，也没有吸取足够的教训，他们仍然在用曾经对待爨氏的很不冷静的态度来对待南诏。

李宓就曾上书朝廷，指责南诏逾越了自己的权力范围，他为爨地的骚乱说情辩解，并声称南诏有反叛的意图。这件事最终因为剑南节度使郭虚己向朝廷上书为南诏辩解而不了了之。虽然此时南诏在西南地区的扩张目的已经很值得怀疑和警惕，但李宓的行为显然有借公事泄私愤的嫌疑，在当时的局势下，毫无疑问是很不理智的，这等于激化双方之间尚不显著的矛盾。

爨地事件使唐朝与南诏的关系出现了裂痕，虽然唐朝与南诏在公开场合仍保持友好的关系，但双方已在西南地区播下了不和与敌对的种子。

干戈骤起：勇与旧主开战

虽然唐朝与南诏在表面上仍维持着友好关系，但由于双方的利益冲突逐渐加剧，唐朝与南诏之间的分歧与矛盾也就与日俱增，并最终导致了双方兵戎相见。

依据传统的说法，使矛盾激化并引发战争的罪魁祸首是当时的姚州都督张虔陀。

根据比较可靠的说法，南诏对张虔陀的指责主要包括：干涉南诏的王位继承，鼓动当地其他势力与南诏为敌，以及准备在军事上入侵南诏。当朝廷派遣特使贾奇俊前来调解之时，张虔陀又贿赂特使，诬陷南诏准备反叛，使南诏不能向皇帝申诉事情的真相。

无论是唐朝史料还是南诏方面的记述，都众口一词地指责张虔陀应为唐朝与南诏关系的破裂承担主要责任。张虔陀被认为对阁罗凤提出过许多过分的要求，并经常对其加以侮辱，甚至有人相信张虔陀与阁罗凤的妻子（或妻子们）有不正当关系。如此看来，张虔陀不但罪责难逃，人品更是卑劣。但是在《南诏德化碑》中，却记载了一个惊人的事实：张虔陀得以出任姚州都督，是因为得到了南诏方面的推荐。

在张虔陀担任云南别驾时，被认为颇明事理，因此南诏向唐朝政府提出建议，希望张虔陀出任姚州都督。从常理推断，当时张虔陀与南诏的关系应该不错，南诏方面对张虔陀的工作也相当满意，因此希望张虔陀能够就地升迁，这样就可以在更高的层次上与张虔陀继续合作。如果是这样，那么张虔陀就不应该在升任姚州都督之后一反常态，作出种种荒谬的不道德之举，这相当于将自己之前的努力毁于一旦。

为何之前与南诏相处甚欢的张虔陀，在较短的时间内会连续施行针对南诏的强硬行动，以致和南诏反目成仇呢？

其实，张虔陀前后态度的鲜明对比从根本上说是由形势决定的。之前南诏作为唐朝的盟友，在各个方面都得到唐朝的支持，但在南诏强盛起来之后，不断进行扩张，已经对唐朝构成了威胁。因此，张虔陀无论是对南诏友好还是强硬，都是在维护唐朝的利益，他所做的不过是尽到了自己作为唐朝地方官的本分和职责而已。

其实，从章仇兼琼到李宓，从张虔陀到后来的鲜于仲通，当时大多数驻守西南的唐朝高级官员采取的对南诏的方针都是限制甚至是打压的，而特使贾奇俊的态度表明，这一路线在朝廷内部也有市场。因此，张虔陀长期以来背负的骂名，对他来说其实并不公平。

但这么说并不等于承认张虔陀是无辜的，实际上，张虔陀和当时其他负责南诏事务的唐朝官员犯了相同的错误：浮躁冒进，急于求成。

当时的唐朝与南诏之间有着分歧和矛盾，但毕竟仍为盟友关系，双方曾经长期合作，即便在当时，仍然存在共同利益，因此，二者间的关系十分微妙，唐朝和南诏都需要精确地寻找并把握“盟友”与“对手”两个身份之间的平衡。

云贵川藏一带在今天仍是多民族杂居地区，在唐代更是如此，各政权之间，以及各政权内部各民族之间的关系错综复杂，唐朝如果要在当地争取最大化的利益，必须制定缜密的计划，运用高明的手段，谨慎地进行操作。但是反观当时唐朝官员的表现，无论是李宓、张虔陀还是鲜于仲通，虽然意识到了问题的重要性，却都忽视了问题的复杂性，他们在尝试解决问题时无不急功近利，一味追求尽快实现自身目的，却对南诏、吐蕃、爨氏等其他势力可能会产生的反应视而不见，当他们意识到这一点时往往已经太迟了。

张虔陀的轻举妄动一方面激化了唐朝与南诏之间的矛盾，并使其公开化，另一方面给了阁罗凤军事进攻姚州的口实。在所有和平解决的可能都被破坏的情况下，阁罗凤派兵攻占了姚州，并控制了周围的土地和当地部族。张虔陀本人服毒自尽，也有说法认为，他是被南诏军队所杀。

西南边疆再次陷入动乱之中。

张虔陀虽然死了，但他惹下的麻烦还没结束。南诏在攻陷姚州之后，紧接着又攻破了安宁，杀了守将王克昭。事情发展到这个地步，已经不是双方存有矛盾或关系紧张的问题了，唐朝与南诏之间已经处于战争状态。

面对土地被侵占、官员被杀害的状况，唐朝无论如何不能无动于衷。公元751年，唐朝派遣鲜于仲通由南溪路进军，大将军李恽从会同路进军，安南都督王知进自步头路进军，三路合击，准备收复失地，并对南诏实施打击。三路军中，鲜于仲通率领的军队数量最多，是全军的主力，而鲜于仲通本人也是此次军事行动的主帅。

鲜于仲通，名向，以字行，祖籍渔阳。但是他的家族在他的祖父鲜于士简一代就已经迁到了新政（今四川南部）。鲜于家族在当地素来以豪富和任侠著称，鲜于仲通在少年时期也受家庭环境影响，喜好任侠行为，仗义疏财，言出必行，平日里飞鹰走狗，却不喜欢读书，直到二十多岁才开始在父亲的督促下发奋。值得一提的是，鲜于仲通在学习时为了避免别人打扰，平日里都在郊外的山洞中闭关，为了保持清醒，甚至作出过以针刺脸的行为，与苏秦以锥刺股颇有几分神似。但从今天的角度看来，这似乎反映出鲜于仲通的性格中多少有些极端倾向。

鲜于仲通的苦学换来了回报，他在40岁时中了进士。唐代有“三十老明经，五十少进士”的说法，鲜于仲通也算得上是新科进士中的少壮派。此后，鲜于仲通一直在西南地区任职，跟随过张宥、章仇兼琼、郭虚己等多任长官。章仇兼琼起初很讨厌鲜于仲通，最终却把他当成了心腹。继章仇兼琼出任剑南节度使的郭虚己更是对鲜于仲通委以重任。郭虚己死于任上之后，鲜于仲通凭借自己对当地的了解和杨国忠的支持接任剑南节度使。

面对前来兴师问罪的唐军，阁罗凤也感到了紧张。唐朝军队到达泸南（其地在长江上游金沙江以南，是由四川进入云南的路程上一个相当重要的地点），阁罗凤便派遣使者谢罪。根据《南诏德化碑》的记载，阁罗凤向鲜于仲通解释自己的反叛是出于张虔陀的逼迫，纯属不得已而为之，南诏就此事表示道歉，希望有机会悔过自新，并愿意遣返南诏所俘获的唐朝军士，重新修筑被南诏毁坏的姚州城，更为重要的一点是，阁罗凤同时向唐朝发出了这样的警告：“今吐蕃大兵压境，若不许我，我将归命吐蕃，云南非唐有也。”

但阁罗凤的威胁却起到了反作用，被激怒的鲜于仲通拒绝了南诏方面的提议，他扣押了南诏派来的使臣，并继续向南诏进军。一场大战看来是在所难免了。

应该说，南诏在开战前向唐朝请罪的这一招十分高明，这相当于抛给唐朝一个两难的选择：如果鲜于仲通接受请罪，同意罢兵，南诏之前的罪过就都会得到赦免，至于遣返战俘和重建姚州城，都是南诏单方面的许诺，很难保证不是空头支票，即使能够落实，南诏的基本战略目的也已经达到，其势力也会在未来得到进一步的扩大。而如果鲜于仲通拒绝议和，那么破坏和平的罪责就会落到他的头上。无论作何选择，唐朝在之后的处境都会很被动。

鲜于仲通之所以对南诏的请罪加以拒绝，除了对南诏用吐蕃威胁自己感到愤怒之外，还有可能他认为如果姑息此事，将来南诏的扩张行为将会愈演愈烈，难以遏制，不如乘此机会将其一举扫平，免生后患。鲜于仲通对于自己的军事实力还是很有信心的，在他看来，凭借自己现有的力量击败甚至剿灭南诏并非难事。其实，他并没有意识到一个可怕的真相——在这次战争中，唐朝军队的胜算其实并没有他所想的那么大。

孰优孰劣：唐与南诏的实力对比

虽然在唐初，尤其是太宗时代，唐军在战场上创造了无数奇迹，缔造了一代不败的传奇，但此时的唐军已不复往日的荣光。

唐朝军队的衰败首先要从府兵制的衰落说起。

府兵制为唐朝早期的主要兵制，创立于西魏，至唐朝发展至极盛。府兵制的主要特点就是兵农合一，和平时期府兵正常从事农业生产，农闲时，在所属军府的折冲将军领导下进行军事训练，并轮流进京宿卫；如遇战事，由朝廷召集各地府兵，并另派将领统兵出征，战争期间府兵会获得朝廷的一些优惠政策，主要是减免税赋。

府兵制寓兵于农，有利于农业生产，减轻国家军费开支，一定程度上解决了后勤供给问题，也扩大了兵源，而练兵权与统兵权的分离又避免了军阀拥兵自重局面的出现。府兵长期接受军事训练，战斗力较强，且由于其出身于农民，一般比较遵守军纪，没有雇佣兵的贪婪好战，况且，如果战争与他们本人的利益与意志相一致时，往往会在战场上勇敢拼杀，爆发出惊人的实力。这也正是历代名将往往偏爱农民出身的军队的原因。

但在唐玄宗时期，府兵制已经随着人口流动的增强与均田制的破坏而变得无法维持，同时战事频繁、兵役繁重也使得兵源日益捉襟见肘。所以，当时朝廷允许各节度使自行募兵，募兵制逐渐成为唐朝的主要兵制，府兵制最终在公元749年被正式废止。

其实，募兵的效果未必不好，初唐之时，如遇突发情况，朝廷也经常招募兵勇以补充兵力的不足。但问题在于，盛唐时期经济发达，百姓生活安定富足，对大部分人来说，只要没有天灾，踏实干活，温饱还是不成问题的，如果脑子再好用一点，或者工作再努力一点，运气好一点的，生活基本都能达到小康水平，所以除了部分希望凭借从军博取功名的人之外，大部分百姓都不愿意，也没有必要去战场上拼命，也就不可能去投军。去投军的，大多是一些社会不安定因素，如无业游民、流氓盗贼、地痞无赖之流。这些人很多都是在军中挂个名，干的仍是本行。就是这样的军队，有的时候连人都凑不齐，很多军队的名册上登记的人数不少，但实际兵员数量却不足，将领们虚报人数，为的是冒领军饷，也就是通常所说的“吃空额”。这种军队，战斗力是根本没法指望的。

至于参加此次战争的唐朝军队的具体战斗力，史书上没有明确记载。按照当时社会流行的观点，人们对四川军队的评价往往不高，甚至是四川本土人有时也持这种观点。早在公元688年，四川人陈子昂就批评四川的军队软弱低劣，缺乏军事技艺，且胆小贪生。不过鲜于仲通率领的军队由于长期守备西南边境，作战经验比较丰富，何况也有过击败吐蕃的经历，应该具备一定的战斗力。顺便提一句，当时唐朝最为精锐的军队并不在西南地区，而是主要集中在镇守北方边境的几个节度使手中，这些节度使的其中一个，名叫安禄山。

在战场上，有时即使是士兵的素质不济，但只要将领指挥得当、调度有方，也可获得战争的胜利。但鲜于仲通却并非这样一位能力挽狂澜的名将。

根据唐朝的制度，能作为一镇节度使的鲜于仲通应该对军旅之事并不陌生，更何况鲜于仲通曾与吐蕃作战并获得胜利。但如果说他精通兵法，能征惯战，恐怕也不是现实。鲜于仲通性情急躁，从这方面来讲，也不具备名将应有的素质。事实上，如果从战争结局来考量，无论是与其同时代的高仙芝、封常清、王忠嗣、哥舒翰，还是稍晚的郭子仪、李光弼、李晟，鲜于仲通的军事水准都完全无法与之相比。因此，此次与南诏作战的唐朝军队，从兵到将的整体实力均不甚理想。

反观南诏，虽然其综合国力无法与唐朝相比，但是在战争方面，南诏却表现出了出人意料的强大。

当时的南诏已经建立起了一套虽不甚严密成熟但已颇具规模的政治运转体系。南诏王居于南诏内部的权力顶点，其下设清平官作为最高的文官，清平官原则上有六位，有时根据情况不同会有七位或八位。在清平官之下仿唐朝六部设立“六曹”，分别为兵曹、户曹、士曹、仓曹、刑曹和客曹，分管各项事宜。

南诏军队组织的官僚体系也比较完整，南诏军队的最高层被称为“军将”，一般有十二位，六位居于中央，六位作为最高长官驻扎在地方，被称为“节度”，应该是对唐朝的模仿，后期节度的数量也有所增加。另外，在地方还有一些南诏王直接管辖的地区，被称为“赕”，也有说法认为应当称“睑”。值得一提的是，清平官在等级上与军将同列，而且作为文官的清平官也是按其军功被委任的，也就是说，在南诏，如果要进入权力的高层，只有在军队中建立功勋，无论高级文官或武官，其授职标准都是基于军功。由此可见，南诏的政权组织是完全以军事为核心进行构建的。

在当时的南诏人看来，战争并不可怕。这当然部分因为南诏在不久前才刚依靠战争手段统一六诏，对战争的熟悉抵消了恐惧感，但更重要的是，对于南诏来说，战争不单单是一种政治行为，更是一种生存手段。

南诏由于生产力水平有限，经济并不发达，因此通过战争进行掠夺是一种最为简单直接地获取生存资源的方式。通常来说，一个国家就算粮食短缺再严重，也必须保证战争时期作战军队的粮食供应充足，但南诏军队却反其道而行之，分发给士兵的军粮很有限，这就决定了他们在战争中除了夺取敌人的粮草外没有其他生路。加之南诏允许士兵任意抢掠敌方军民，使得南诏士兵在战场上个个争先，悍勇无比。打输了自己会饿死，打赢了就能活下去，还有机会发财，对于南诏士兵来说，他们实在是没有不拼命的理由。不过和南诏作战的军队所面临的麻烦就大了，因为不但他们的粮草、物资、财富，甚至连他们自己都是南诏劫掠的目标。

对于南诏而言，战争的重要性凌驾于生产之上，这和我们通常的观念是截然不同的。试举一例，当时在南诏使用的犁高三尺，长丈余，在耕地时，三个奴隶与两头牛从日出到日落整整一天的耕地面积仅有“一双”，即五亩。采用如此笨重的工具，耗费人力畜力如此之多，耕作的效率却是很低下的。而与之形成对比的，却是南诏发达的兵器制造业，比如产自南诏的“浪剑”，号称“石铁如泥，吹毛透风”。为了加强兵器的杀伤力，南诏人甚至在兵器上淬毒，当时南诏所产的兵器如“铎鞘”和“郁刀”，都使用毒药炼制，所以在使用时“中人肌即死”。

值得一提的是，所谓“铎鞘”是南诏最名贵的兵器，当时的南诏给它起了六种不同的名字：绿婆摩求、亏云孚、铎葴、铎摩那、同铎、朱苛。铎鞘状如残刃，刀身有孔，刀柄用金子装饰。铎鞘锋利无比，据说“所击无不洞”。南诏王在正式场合或亲临战场时，要佩带两柄铎鞘。但是，铎鞘的具体样式已经失传，今天的学者认为，在剑川石钟山石窟《阁罗凤议政图》中武官手持的形状奇特的剑，就是大名鼎鼎的铎鞘。

南诏的农业生产工具和技术如此落后，而手工兵器制造业却颇为发达，正是因为在南诏的社会生产生活中，战争居于核心地位，依靠战争的强势，可以弥补生产的落后与凋敝。希特勒当年为了发展军工业提出了“要大炮，不要黄油”的口号，而南诏的选择是既要大炮，也不放弃黄油，用大炮把黄油抢过来就可以了。

在与南诏的争夺当中，唐朝最大的优势即在于强大的综合国力，但无论唐朝的国力如何强盛，都不可能在这场战争中全部发挥出来。道理再简单不过，唐朝幅员辽阔，周边各个政权林立，唐朝政府要同时应对的内外各种事务无数，不可能将全部资源和精力投入到与南诏的争夺当中。但就南诏而言，却可以倾全国之力与唐朝对抗，在局部地区形成优势。

应该说，鲜于仲通和他率领的唐军处在一种尴尬的地位。

但是，即使唐朝不能动员全部力量，南诏也很清楚独力与唐朝开战是风险多么大的事情。如果与唐朝为敌，那南诏唯一可以联合的对象就是吐蕃，如果没有吐蕃的支持，南诏也根本不可能与唐朝长期抗衡。所以，在与唐朝交恶之后，南诏转而依附吐蕃。

虽然南诏在建国之初曾经在唐朝的支持下与吐蕃进行过多次战争，但由于地域的接近，南诏和吐蕃之间仍然保持着一定的联系。正如我们前面所提到过的，《吐蕃历史纪年》中的一则史料甚至暗示，南诏王皮罗阁曾经亲率使团前往吐蕃。从后来南诏和吐蕃能在短时间内迅速结成同盟关系来看，南诏可能已经与吐蕃保持了相当长时间的联系，也就是说，南诏在公开对唐朝效忠的同时，一直在暗地里和吐蕃互有往来。

但令人遗憾的是，当时唐朝负责经营西南的高级官员对南诏步步紧逼，一直采取严厉的打压政策，最终将南诏推向了对手的怀抱，南诏投靠吐蕃的结果已经是不可逆转的了。

公元751年，南诏公开派遣了一个高级使团出使吐蕃，献上大量贡品，吐蕃方面也回赐了大量的礼品，并与南诏相互结为“兄弟之国”，赐阁罗凤封号“赞普钟”，意思是“赞普的弟弟”。“赞普”是吐蕃对国王的称呼，“赞普钟”的称号也印证了两国是“兄弟之国”的说法。吐蕃赐给南诏王阁罗凤金印，双方以山川之神为证，对天盟誓。公元752年，南诏正式改用赞普钟纪年，当年称为赞普钟元年。至此，南诏正式背叛唐朝，与吐蕃结盟。

孰胜孰败：延续多年的争夺战争

鲜于仲通在拒绝南诏的请罪之后，继续催促唐军向南诏进发，南诏方面派遣一名名叫杨利的将领带兵迎战，与此同时，吐蕃也向南诏方面派出了援军。

公元751年四月三十日，唐军遭到南诏和吐蕃联军的夜袭，大军陷入混乱之中，6万大军竟然全军覆没。据说，连鲜于仲通的次子鲜于昊都战死了，只有鲜于仲通自己逃了回来，捡了一条命，可见当时溃败之惨。根据另一种说法，当时鲜于仲通所率领的部队总兵力并非6万，而是8万，但在此次战争中损失6万将士却是无疑的。

唐朝此次对南诏的军事行动可以说是惨败，但更可怕的是这次惨败并不是结束，而是开始。

使惨败一再升级的罪魁祸首正是杨国忠。西南的失败，对于杨国忠自己来说，也无疑是一记重击。不过要是以为他心存百姓社稷，那可就太高估他了，杨国忠可没有什么“先天下之忧而忧”的高尚情怀，他所关心的，仅仅是他的剑南大本营因为战争失败而遭到的损失，而且直接责任人又是杨国忠当年的恩人鲜于仲通，他自己也与此次大战脱不了干系，显然杨国忠无论如何需要给朝野上下一个交代。

可是他没法交代。

如果如实上报，首先盟友鲜于仲通是无论如何都保不住了，丧师辱国，6万大军折伤殆尽，这个罪名只怕死刑都有份。而杨国忠自己也跑不了，就算看在杨贵妃的面子上对他从轻发落，死罪可免活罪难逃。为了一己之私，杨国忠罔顾泸水边的6万冤魂，厚颜无耻地对皇上撒谎，隐瞒败绩，假冒胜仗。

其实，杨国忠的这个谎撒得并不高明，他之所以能够顺利过关，首先就在于南诏远在西南边陲，天高皇帝远，使他有机会操纵信息。但最关键的一点，却还不在于南诏与长安的距离，而在于唐玄宗的态度。

本来，以唐玄宗的头脑和经验，一般的谎言根本骗不了他。唐玄宗26岁平定了韦后之乱，28岁击败了权倾朝野的太平公主，其权谋手段杨国忠之流只能望其项背。然而晚年的唐玄宗进取之心日衰，西南的战事虽说是国家大事，但他对国事的热衷程度已不复当年，只想尽可能享受一下盛唐为他带来的财富和荣耀。为此，他希望不要有麻烦的事情打扰他的兴致。杨国忠隐瞒失败，虚报胜利，恰恰符合他的这一心理，换言之，正是唐玄宗愿意相信边境胜利，才会使杨国忠得逞。

既然失败变成了胜利，那么鲜于仲通也就从“败军之将”，变成了“有功之臣”，被授予京兆尹之职。但兵败之耻与丧子之痛一直折磨着鲜于仲通，即使担任了京兆尹这样的重要职位，也不过是苟且偷生。两年后，鲜于仲通因为与杨国忠交恶，被贬为县令，又过了两年，即公元755年，鲜于仲通抑郁而终。

杨国忠用欺瞒的办法暂时掩饰了在南诏的失败，然而他也知道这并非长久之计，毕竟这样大的挫折是不可能被长时间地遮掩的。为了将之前的损失掩盖过去，更重要的是保全自己在剑南的根基，杨国忠急需在剑南获得一场胜利。为此，他兼任了剑南节度使，督办一切跟西南有关的事宜。

在公元752年的六月，杨国忠向朝廷报告，称吐蕃派遣60万大军救援南诏，被剑南的唐朝军队击败，收复了大片土地。且不说在唐、吐蕃、南诏的文献中我们找不到任何可以印证这一说法的证据，单从这些大到不可能的数字来看，这种说法就是极令人怀疑的。所以，无论是当时人还是后代学者，基本上都认为这个报告是杨国忠臆造的。

不过，别人的看法丝毫不影响杨国忠本人的热情，为了在唐玄宗心目中留下心忧边境战事的印象，他还授意自己的亲信推荐自己远赴西南，亲临一线。然而，当杨国忠得知皇上已经批准了自己立即到任之时，却宛如遭到晴空霹雳。因为杨国忠知道，此时坐上剑南节度使的位置，无疑相当于被排挤出权力核心，更何况当地还处于战争状态，如果上任之后南诏或吐蕃军队打过来，自己恐怕还有性命之虞。杨国忠所谓亲赴战场云云，只不过是故作姿态罢了，但他的这一自作聪明之举却被一直欲将杨国忠除之而后快的李林甫利用，几乎将其置于死地。

当年在杨国忠刚步入朝堂之时，李林甫对待杨国忠还是很客气的，毕竟杨国忠的靠山是谁无异于公开的秘密。李林甫自然不愿得罪那位集皇上万千宠爱于一身的贵妃，更何况杨国忠没什么才能，李林甫认为他对自己根本构不成威胁。不过没想到的是，杨国忠竟然一步步爬到了权力的高峰，实力日益膨胀的他自然和原本在朝中权力最大的李林甫成为仇敌。老奸巨猾的李林甫深知自己没有杨国忠那么硬的后台，与他正面对抗毫无胜算，因此必须寻找合适的时机在背后下手，而这也正是李林甫的拿手好戏。

当知道有人推荐杨国忠赴剑南出任节度使时，李林甫意识到机会来了，他向皇上进言，表示杨国忠是出任剑南节度使的不二人选，并建议杨国忠应当立即亲临西南战场。看似是极力推荐杨国忠在外建功立业，实则不动声色地将他从核心权力圈中剔除出去。如果不出意外，杨国忠也将会和之前李林甫的其他对手那样被彻底击败，黯然退场。

不过，杨国忠正是那个“意外”。李林甫机关算尽，但还是低估了杨贵妃对唐玄宗的影响力。杨国忠在几乎山穷水尽之时，祭出了撒手锏，他找到唐玄宗，在皇上面前号啕大哭，声称自己是被李林甫陷害，此番离京必死无疑，杨贵妃也在一旁为自己的堂兄说情。兄妹二人共同努力，终于说动了皇上。杨国忠虽然去了剑南，但没过多久就又被召了回来。而此时的李林甫则万念俱灰，自己纵横一生，晚年竟栽在杨国忠这种人手里。

当杨国忠回到京城，去看望李林甫时，李林甫已经病得起不来床了，他对杨国忠说：“我已经活不长了，您日后必定为相，我的这些不肖子孙就拜托您了。”公元752年十一月，李林甫在忧懑中死去，一代权奸就此谢幕。

李林甫虽然恶贯满盈，但他的死却未必值得庆祝，因为接替他的杨国忠同样是个祸国殃民的家伙。李林甫一死，朝中更无人可以制约杨国忠。

为了对南诏进行惩罚，杨国忠已经开始着手准备另一次规模更大的远征，而他首先要做的，就是补充在前次讨伐中损失了的大批士兵，扩充唐朝在剑南的军队。

为了扩充兵源，杨国忠开始大规模地强征百姓入伍，尤其是在两京、河南、河北一带，很多百姓被强行编入军队当中，准备远征西南，与南诏作战。这些被迫入伍的百姓心中的恐惧和悲伤是常人难以想象的。很多人为了逃避兵役，甚至自残肢体。

白居易就曾写过一首名为《新丰折臂翁》的诗，写的是长安附近的新丰地区有一位老人，年轻时为逃避兵役砸断了自己的手臂，虽然成为了残疾人，却侥幸活过88岁高龄。

新丰折臂翁

新丰老翁八十八，头鬓眉须皆似雪。玄孙扶向店前行，左臂凭肩右臂折。问翁臂折来几年，兼问致折何因缘。翁云贯属新丰县，生逢圣代无征战。惯听梨园歌管声，不识旗枪与弓箭。无何天宝大征兵，户有三丁点一丁。点得驱将何处去，五月万里云南行。闻道云南有泸水，椒花落时瘴烟起。大军徒涉水如汤，未过十人二三死。村南村北哭声哀，儿别爷娘夫别妻。皆云前后征蛮者，千万人行无一回。是时翁年二十四，兵部牒中有名字。夜深不敢使人知，偷将大石捶折臂。张弓簸旗俱不堪，从兹始免征云南。骨碎筋伤非不苦，且图拣退归乡土。此臂折来六十年，一肢虽废一身全。至今风雨阴寒夜，直到天明痛不眠。痛不眠，终不悔，且喜老身今独在。不然当时泸水头，身死魂孤骨不收。应作云南望乡鬼，万人冢上哭呦呦。老人言，君听取。君不闻开元宰相宋开府，不赏边功防黩武。又不闻天宝宰相杨国忠，欲求恩幸立边功。边功未立生人怨，请问新丰折臂翁。

诗人的讽刺、朝野上下的反对都不能改变杨国忠的态度，在手中的军队得到扩充之后，杨国忠随即展开了对南诏的军事行动。

公元753年，唐朝以将军贾瑶为都督，试图再次营建姚州。但是，此时唐朝在西南地区的实力已大不如前，没有周密的计划就贸然行动，只能导致损兵折将。南诏派兵切断了唐军粮道，同时包围了府城，仅用了两天时间，就轻而易举地攻陷姚州，贾瑶也被生擒。

次年，即公元754年的夏天，杨国忠再次策划进攻南诏，这次领兵的主帅正是当年策动爨地内乱的李宓。杨国忠委任他为剑南节度使，率领7万士兵对南诏发动新一轮战争。

面对来势汹汹的李宓，阁罗凤避其锋芒，引诱李宓的部队孤军深入。李宓不知是计，率军逼近南诏都城太和城。阁罗凤的军队坚壁清野，依靠城墙和复杂的地形进行防御。很快，李宓的粮食供应便捉襟见肘，而更严重的是，由于此次出征唐朝的士兵多来自北方，云南炎热潮湿的气候使他们严重水土不服，肆虐的传染病给唐军造成了极大的损失。

由于环境过于严酷，李宓不得不下令撤退。但正当唐军准备班师之际，南诏军队突然冲出城池，向他们发起猛烈进攻。此时的唐军非战斗减员数量极其庞大，据说已经占到了全军的70%—80%，即使是此时还活着的将士，也因为饱受饥饿与瘴疠的折磨而丧失作战能力，甚至逃跑都做不到了，只能任人宰割。

根据《南诏德化碑》的记载，唐朝军队被南诏和吐蕃联军紧紧包围起来之后，几乎没有作任何抵抗。这场杀戮使得红尘翳天，流血成川，积尸壅水，李宓本人投江自尽，所率部队全军覆没。

战争结束之后，阁罗凤下令把所有唐军阵亡将士的遗骸收集起来，集中埋葬。唐朝方面有人认为南诏这是在修筑“京观”。所谓“京观”，指的是古代战争中胜者为炫耀武功，聚集敌尸，封土而成的高冢。不过南诏方面的本意似乎并不在此，南诏之所以埋葬全部唐军将士的尸首，很有可能是向唐朝表示自己的不得已，毕竟经过几次大战之后，南诏的国力消耗也很大。更重要的是，在唐与吐蕃之间尽可能地左右逢源是南诏的一贯政策，掩埋唐军将士遗体也是南诏为自己将来与唐朝和解留下可能。

杨国忠本希望通过一场胜利弥补上一次战败的损失，但没想到这次竟然输得更惨。为了不被揭发，杨国忠一方面用新的谎言掩盖旧的破绽，一方面又准备派遣更多的队伍再次征讨南诏。

据统计，唐朝在对南诏的征战中损失了将近20万的兵力，至于财富的消耗更是不计其数。朝野上下对杨国忠的贪婪愚蠢和一意孤行怨声载道，但所有人都畏惧杨氏的权力，敢怒而不敢言，即使是备受唐玄宗宠信的高力士，也只能旁敲侧击地提醒皇上对西南的局势多加留意，但最终未能充分引起唐玄宗的关注。

不过，到了公元755年，对南诏的远征终于停止了，因为一个更具灾难性的理由——安禄山反了。

对唐代历史稍有了解的人都知道，安史之乱是唐朝由盛而衰的转折点，但很多人可能不知道，其实唐朝本来有机会在很短的时间内将叛乱扑灭的。

安禄山在起兵5个月之后，就陷入了被各路唐军包围的境地，甚至回范阳的退路也被切断了。本来叛乱的平定已经是指日可待的事情，但由于唐玄宗求胜心切，加之杨国忠嫉妒手握重兵、平叛有功的大将，尤其是潼关守将哥舒翰，担心在叛乱平息后哥舒翰会入朝拜相，于己不利，因此杨国忠怂恿唐玄宗连续下诏，令哥舒翰主动出关迎敌。哥舒翰无奈之下率兵出关，结果唐军大败，潼关也随之失守，叛军进而威胁长安。

即使局势已经到了如此地步，杨国忠还是不忘扩张自己的利益。他向唐玄宗建议立即前往四川避难。四川地势险峻，易守难攻，成都平原又是“沃野千里，天府之国”，在中国历史上的历次兵灾战乱中，几乎每次都是四川扮演了安定的后方的角色。

但我们有理由相信，这绝不是杨国忠建议唐玄宗幸蜀的主要原因。最为重要的是，一旦唐玄宗驾幸，四川就会成为大唐的政治中心，也会成为各路唐军竭力保护的对象，杨国忠也就可以把自己在朝廷和蜀中的利益结合到一起，使自己的势力膨胀到无以复加的地步，这才是杨国忠的真正目的。

公元756年六月十三日，在百官皆不知晓的情况下，唐玄宗和杨贵妃姐妹、皇子、皇孙、杨国忠、韦见素、魏方进、陈玄礼和亲近宦官宫人，在禁卫军的护送下连夜出走。接下来的事情大家就都很清楚了，马嵬驿之变，杨氏兄妹被杀。

关于马嵬驿之变，现在史学界通常认为是由太子李亨为争夺权力而精心策划的。太子李亨与李林甫、杨国忠皆不和，自公元746年起就频遭打击，此次一旦到了蜀中，面对膨胀到极点的杨国忠势力，太子必然凶多吉少。因此，太子决定先发制人，设计了一场兵变，既除掉了杨国忠，也借机掌握住朝中大权。无论是出于什么原因，杨国忠罪恶的行径终于就此结束，虽然已经晚了，但还好没有更晚。

此后，平定叛乱就成了唐朝政府首要的目标和任务，唐朝召回所有能调动的军队，这些军队中有很多原本负责边境地区的防御，他们被抽调到平叛前线，使得唐朝对许多边远地区的控制力度大大降低，所谓“内忧外患”指的大概就是这种情况。

南诏和吐蕃自然不会放过这一机会。公元756年,南诏在吐蕃的命令下攻占嶲州（在今四川西昌）和会同（今四川会理县北）。此次进攻声势极为浩大，南诏方面有太子随行，并且出动七员军将、一名清平官，吐蕃方面则派遣了宰相和节度使各一人。次年，唐朝重建了嶲州，但不到一年就又被南诏攻占。值得注意的是，此次南诏在攻下嶲州之后，并没有像上一次那样大肆劫掠一番就弃城离去，而是将其作为据点，准备长期占领。

因为唐朝当时正在集中力量对付安史叛军，而南诏与吐蕃之间尚保持盟友关系，因此，南诏获得了极为难得的不受外界干扰的发展机会。

除了向四川一带扩张势力之外，南诏还把目光对准了其西南边境。阁罗凤亲自率领军队征讨被称为寻传、祁鲜、裸形的诸蛮。而对于其东边，原爨部控制的区域，阁罗凤也采取了多种措施加强了统治力度，其中包括在安宁建立了行政机构，一方面管理盐的生产，另一方面就地对这一带进行监督。公元765年，阁罗凤更是将儿子凤迦异派到这里，新建了一座名为拓东城的新城。在阁罗凤的经营下，南诏的势力得到了空前的扩张。

公元766年，《南诏德化碑》在南诏都城太和城建立起来。碑的阳面刻有正文40行，3800字，其中充满了对阁罗凤的颂扬。不过，碑文最主要的内容是推卸背叛唐朝的责任。碑文以南诏的视角，记录了唐与南诏之间从友好合作到渐生间隙，最终反目成仇的全过程。碑文反复强调战争是被强加于南诏身上的，解释南诏叛唐的不得已，并表达了希望与唐朝重归于好的愿望。这块石碑为研究南诏的形成、社会制度、政治结构、民族关系、南诏与唐王朝及吐蕃关系等方面，都提供了极其宝贵的第一手材料。

可能南诏首领确实对与唐朝关系破裂而感到抱歉，也有可能只是为将来与唐和好而作铺垫，不过无论如何，正如碑文所说，南诏与唐朝的关系绝不会永久地破裂下去。且不论其他因素，单举一点就已足够，《南诏德化碑》碑文的作者郑回，就是促成日后唐朝与南诏重新结盟的重要人物。

从公元756年到公元779年之间，唐朝史书上对南诏的记载非常之少，即使有一些零星的相关内容，也是非常含混和破碎的。这当然主要是因为当时唐朝对西南地区投入的精力很有限，但也从侧面说明了南诏并没有对唐朝实施大规模的进攻。

然而在这一时期，吐蕃对唐朝的侵犯却变本加厉，攻占了唐朝在中亚地区的广大领土，并且控制了西北的河西与陇右一带，甚至在公元

763年一度打进了唐朝的首都长安。不过，并没有确凿的证据显示，吐蕃入侵唐朝西北地区的行动有南诏军队参与其中。面对刚刚经历安史之乱重创的唐王朝，吐蕃军队一度横行无忌，威风八面，但他们的好日子终归会到头，吐蕃在公元8世纪70年代遭到了挫败，击败他们的人叫做崔宁。

崔宁，卫州（今河南新乡、鹤壁等地）人，本名崔旰。崔宁虽然出身于儒者之家，但他自己却更喜欢纵横之术，从小就是个不安分的人。崔宁在年轻时就出门游历，当他到了剑南一带时，就结束了游侠生活，投军去了。

虽然崔宁脾气比较急，不过他选择此时在剑南地区从军，并不是头脑一时发热的结果。因为年少时学习过纵横之术，崔宁应该是看到了西南地区的复杂局势，并意识到未来在当地爆发战争的几率很大。无论是从文还是习武，都无非是要为自己谋一条出路，崔宁很可能是认定，如果此时加入在西南的军队，就有机会获得军功，借此搏个出身。因此，崔宁在鲜于仲通的军队里成为了一名步卒。

虽然崔宁准确地预测到了战争的到来，但这个从未上过战场的年轻人还是把立功想得太简单了，他第一次参加大战就差点丢了性命。公元754年，崔宁随军出征南诏，领兵的主帅是李宓。这场战争的结果我们已经知道了，唐军惨败，7万大军全军覆没。只有零星的唐军士兵捡了一条命，逃了回来，崔宁就是这极少数人中的一个。他历尽艰辛返回成都，虽然没有立下什么功劳，但是其成绩仍然值得高度评价，因为在那场战争中，能活着回来，就已经很了不起了。

我们有理由相信，崔宁能在大溃败中幸免于难，不仅仅是因为运气，还依赖于他过人的勇气和才智。虽然没有立功，但崔宁在此战中仍然获益匪浅。在生死边缘挣扎回来，使得他的意志和才能都得到了最大限度地提升，只要有这些在，立功的机会还是不缺的。

很快，崔宁得到了上级的赏识，并逐渐升至高位。后来，他被派遣到西山（今成都西北）统兵，讨伐吐蕃及其在当地的盟友羌戎。崔宁在这次战斗中大获全胜，一时间成为了传奇人物，甚至连敌人都对他充满敬畏，称他统领的军队为“神兵”。而在这一战之后，崔宁因为爱护士卒，连年报捷，在西川军中得到了崇高的威望和广泛的支持。

已故剑南节度使严武曾十分看重崔宁，但新任剑南节度使郭英乂却对崔宁相当怨恨妒忌，二人之间的冲突很快就爆发出来，并不断升级。

首先发难的是郭英乂，他减少了崔宁部下的粮饷，接着又诬陷正在与吐蕃作战的崔宁通敌，最后甚至将崔宁的家属扣为人质。郭英乂不断打压崔宁，以为可以就此击垮他。但郭英乂没有意识到，崔宁的作风与其他朝廷官员都截然不同。崔宁年轻时就敢一个人闯天下，征南诏时九死一生，长期在边境作战且屡战屡胜，不知在刀尖上滚过多少回。对于这样一个人，郭英乂的一系列举动非但不能将其打倒，反而会不断激起他的怒火，使矛盾越发不可调和。加上崔宁手中掌握着四川大部分军队，看来这次事情很可能会向着极端化的方向发展。

对于这些情况，郭英乂并不在乎，他觉得自己毕竟是崔宁的顶头上司，就算崔宁恨自己入骨，也是无可奈何。但事实证明，郭英乂还是太小瞧了崔宁的胆子。不久，崔宁抓住了郭英乂住进了当年唐玄宗的行宫这一把柄，称郭英乂有不臣之心，并以此为借口发动兵变。郭英乂仓皇出逃，最终被捕杀。

身为朝廷官员，竟公然带兵杀害自己的长官，无论有什么理由，这都是几乎等同于谋反的大罪。但是朝廷却似乎不打算追究崔宁的任何责任，仍旧对其委以重任。因为朝廷很明白，这片地区就是靠崔宁在支撑，如果降罪于他，四川没有大将坐镇，一旦吐蕃、南诏来袭，就再无宁日了。

新任命的节度使杜鸿渐显然吸取了郭英乂的教训，非但不敢查问崔宁之罪，反而对崔宁以礼相待，甚至把军州政事完全交给崔宁办理。到后来，杜鸿渐干脆上书朝廷，请求把他的节度使职务转让给崔宁。在公元767年，朝廷任命崔宁为四川节度使，召杜鸿渐返回京城。

在之后的十余年间，崔宁立下了赫赫战功，但同时也在四川恣意妄为，朝廷对他既倚重又忌惮又无可奈何。联系中唐之后，各地严重的藩镇割据，我们可以想到，此时的崔宁已经有了凭借四川地区拥兵自重的倾向，他的所作所为，俨然与割据四川无异。

在这种情况下，朝廷必须要对其有所行动了。公元779年，朝廷找到了机会诏令崔宁回京，加司空，兼山陵使。很明显，崔宁此次回到朝廷就意味着他在四川的权力被全部剥夺。

就在此时，吐蕃联合南诏大举入侵四川，据说总兵力达10万，分三路进攻成都。吐蕃、南诏联军攻势迅猛，在他们的攻击下，大片领土被侵占。大敌当前，朝廷中有人建议让崔宁重返成都，处理危急的四川局势，却遭到了宰相杨炎的极力反对。这也难怪，毕竟崔宁这个人太棘手，能不用最好不用，好不容易将他召回京城，一旦放虎归山，再想控制住就难了，所以唐代宗考虑再三之后，决定仍把崔宁留在京城。

既然不让崔宁去，那朝廷就得另派大将前往四川，受命前往的正是大名鼎鼎的李晟。他率领大约4000名宫廷禁卫兵与5000名邠、陇、范阳等地的部队赶到剑南增援。李晟果然不是浪得虚名之辈，在他的指挥下，吐蕃与南诏的联军被击溃，狼狈地败退回去。

崔宁和李晟取得的一系列胜利，保护了唐朝的领土不至于进一步丧失，四川的边界得到了稳定，但是这些胜利的分量并不止于此。一方面，吐蕃的实力遭到了削弱，另一方面，吐蕃也意识到了，虽然唐朝的力量在经过长时间的动乱后已大不如前，但是吐蕃若想彻底击败唐朝也是绝无可能的。于是，在公元783年，唐朝和吐蕃在清水（今甘肃省清水县西北）会盟，重新划定双方边界。

原本南诏在这场战争中就损失惨重，而吐蕃又因为失败而大发雷霆，处死了全部统兵的将领，这些被处死的将领中可能也包括了南诏的将领，如果事实如此，那南诏必然十分不满。在此之后，吐蕃对南诏提出了愈加苛刻的勒索，南诏被要求缴纳重税，派遣士卒，并接受吐蕃军队占据南诏的战略要地。与此同时，吐蕃给南诏王一个新的封号“日东王”。

本来，南诏王被封为“赞普钟”，南诏和吐蕃相约为兄弟之国，但如今南诏王却被吐蕃当作普通的臣子看待，身份明显降低了。此时的南诏王异牟寻是阁罗凤的孙子，由于阁罗凤的儿子凤迦异早卒，因此，在阁罗凤于公元779年去世之后，就由异牟寻继承王位。即位伊始的异牟寻将王都从太和城迁至阳苴咩城，也就是今天的大理，迁都的主要目的就是要躲避吐蕃的锋芒。

随着南诏和吐蕃间的矛盾逐渐加深，南诏再一次在唐朝和吐蕃之间产生了摇摆，唐朝争取南诏与之重新结盟的机会终于出现了。

重归于好：韦皋的伟大使命

虽然在清水会盟中划定了双方的疆界，但由于唐朝内部爆发了朱泚之乱，吐蕃借机干涉未果，双方关系再度陷入僵局。为了尽可能地消除吐蕃对唐朝的威胁，中唐时期的传奇人物“白衣宰相”李泌制定了一个联合回纥、突厥、南诏，甚至包括天竺（印度）和大食（阿拉伯）等各方势力共同反对吐蕃的宏大计划，全面包围并争取最大限度地打击和削弱吐蕃。由于回纥可汗对于唐朝联合对付吐蕃的协议作出了积极的回应，联合天竺和大食也并非如同想象中那般困难，因此，与南诏联合也就成为了唐朝包围吐蕃战略计划中至关重要的一环。而将联合南诏这一战略决策变为现实的关键人物，是当时担任剑南节度使的韦皋。

韦皋（公元746—805年），字城武，唐朝京兆万年（今属陕西西安）人。朱泚之乱时，唐德宗出逃奉天（今陕西乾县），当时的韦皋正担任营田判官。朱泚的部下牛云光、苏玉想要胁迫韦皋投降，却反而被韦皋诱杀。这一年，韦皋35岁，其胆识才略已然不同凡响。

紧接着，韦皋又主动派遣使者和吐蕃联络，虽然没有取得实质性成果，但是从此韦皋成为唐朝政坛上的一颗新星。很快，韦皋被提拔为左金吾卫将军，随即又被升为大将军，公元785年，韦皋被任命为剑南西川节度使。

在南诏与吐蕃于公元779年联合进攻剑南西川遭到惨败之后，怀疑和怨恨的种子就在吐蕃和南诏之间播种了下来。正是由于这一缘故，在南诏内部出现了要求与唐朝重归于好的声音，对这一主张推崇最力的，正是异牟寻的主要智囊——清平官郑回。

郑回原本是一个被俘虏的唐朝官员，他出生在相州（在今河南安阳），曾担任嶲州西泸（今辑州地区）县令。在公元756年到公元757年之间，这一地区被南诏攻占，郑回也成为了南诏的俘虏。由于郑回作为原唐朝的官员在学识和行政经验上都很丰富，加之他采取了与南诏合作的态度，所以他在南诏得到了重用。阁罗凤为郑回赐名“蛮利”，任命他教授南诏的诸位王孙，这其中就包括了异牟寻。在这一过程中，郑回取得了南诏王室的信任和尊重，在他授课时，如果有王族子弟不服从管教，郑回甚至有权力责打他们。当时的郑回地位虽高，却没有实际权力，尚没有资格参与到南诏国策的制定中去。直到异牟寻继承了王位，郑回才升为清平官，成为影响南诏政治的实权人物。

值得一提的是，自郑回之后，郑氏家族在南诏取得了崇高的地位，郑回的七世孙郑买嗣结束了南诏王国，并在10世纪初建立起南诏的第一个后继之国——大长和国，不过这都是后话了。

因为长期接受郑回的教育，异牟寻一直对汉文化极其推崇与向往，加之郑回在异牟寻心目中的地位十分重要，所以异牟寻对郑回与唐结盟的意见十分赞同。但是作为执政者，他又担心遭到吐蕃的报复，因此表现得踌躇不定。直到公元794年，异牟寻依然与吐蕃维系着至少是表面上的盟友关系，尽量不给吐蕃制造惩罚南诏的借口。不过，异牟寻还是继续探寻着与唐王朝重建关系的可能性，南诏与唐朝的暗中接触也越来越频繁。

在这一过程中，处于唐朝与南诏之间的一些小部落，特别是勿邓、丰邑和两林，也就是总称为“东蛮”的诸部，在唐朝和南诏之间起到了重要的沟通作用。

韦皋很清楚，如果要和南诏重新结成同盟，就必须先与南诏取得联系，为此，他首先与分布在唐朝与南诏之间缓冲地区的各个相对较小的部族寻求合作。一方面，可以借助这些部族试探一下南诏的态度，另一方面，也可以使争取南诏与争取周边部族的工作同时进行，相辅相成。在西南地区有越多的部族归顺唐朝，吐蕃的势力就会越被削弱。

韦皋的计划很快就收到了良好的成效，东蛮诸部的主要首领骠傍、苴梦冲、苴乌星等相继入朝，向唐称臣，朝廷也随即将他们封为王，并任命他们为大唐的官员。异牟寻感受到了唐朝发出的积极信号，于是派遣了两位使者与东蛮的代表同行，试探唐朝的态度。韦皋抓住机会，他先请苴梦冲派人帮他打探南诏的消息，不久之后又直接向异牟寻送去一封私人信件，劝说他们尽快派遣正式使团与唐朝联络。

韦皋从搜集来的情报中得知，南诏的确有与唐朝重归于好的愿望，但又因为顾忌吐蕃而举棋不定。于是韦皋利用南诏与吐蕃之间日渐严重的信任危机，狠狠地下了一剂猛药。

当时，吐蕃计划对四川发动一轮新的攻势，按老规矩，南诏也必须派兵助战。而正在这时，韦皋给异牟寻写了一封信，在这封信中，韦皋详细记述了异牟寻对于抛弃吐蕃，与唐朝重建联盟的期望，并对异牟寻传达了鼓励和慰问，表示唐朝愿与南诏一道展开更深层次的合作，共同抗击吐蕃。然后，韦皋派人将这样一封饱含着热情问候和真挚友谊的信件同样也交给了吐蕃。

韦皋深知，南诏和吐蕃之间毕竟已经合作多年，联系密切，若要使双方决裂，就必须让两者的矛盾走向极端，彻底断绝所有退路。果不其然，吐蕃方面见信后对南诏产生了极大的怀疑，随即向南诏与吐蕃之间的边界增兵2万，同时封锁了南诏直接进入四川的通道。吐蕃此举激怒了南诏，异牟寻下令撤回支援吐蕃的南诏军队。

韦皋的政治手腕也少不了军事行动的配合。公元789年，韦皋主动向吐蕃发起进攻，攻占巂州北部的重镇台登（今四川泸沽），大破吐蕃青海、腊城二节度，斩首2000级，生擒笼官45人，斩杀吐蕃宰相尚结赞之子、吐蕃大兵马使乞臧遮遮，敌军坠崖而死者不计其数。公元791年，原本已经接受唐朝册封的勿邓首领苴梦冲暗中与吐蕃建立关系，韦皋得知消息后立即派兵征讨，活捉了苴梦冲，在历数其罪行之后，将他处死，并在当地扶植了一个更可靠的首领。

韦皋牢牢地控制着这些处于中间地带的部族，一方面保护他们免受吐蕃的进犯，另一方面又严密防止他们中的任何一个投入到吐蕃的营垒去。

公元789年的春天，韦皋给异牟寻送去了一封信，信中说唐朝将与回鹘联合进攻吐蕃，韦皋在信中劝说异牟寻不要因为犹豫而坐失良机，将头功拱手让给回鹘。从“联合回鹘”等话语中我们也能看得出来，韦皋了解李泌的全套战略方案，也确实是按照这一方案来行动的。

在经历了一系列的失利后，吐蕃也急于改变自己面对韦皋时的处处被动挨打的狼狈局面，因此一方面试图改善与其他部族的关系，另一方面也尽力加强对南诏等政权的控制。但是，吐蕃的计划在韦皋高明的政治手腕和强力的军事攻势面前总是被破解，这导致吐蕃与其他部族渐行渐远。

公元791年，南诏虽然没有公开和吐蕃决裂，但是自那时起，南诏对于吐蕃在兵马钱粮上的要求的回应越来越消极。而到了公元792年，吐蕃与南诏之间的关系已恶化到难以挽回的地步，双方甚至各自作好了与对方进行战争的准备。

韦皋不断派遣使团与异牟寻商讨各项事宜，建议双方联合起来共同反对吐蕃，将吐蕃赶出云岭之外，在边界上应加强防卫，唐朝与南诏的军队应该互相配合，一致针对吐蕃。韦皋还派遣大军征讨嶲州地区的吐蕃势力，俘获其大将论赞热。次年，韦皋又出兵西山，大破吐蕃，迫使“西山八国”归顺唐王朝。政治和军事双管齐下的结果，就是南诏重新归唐已成定局，正式结盟也只是时间问题了。

公元793年，异牟寻终于正式下定决心归附唐朝。

在这一年的初夏，异牟寻派遣三个使团分赴唐朝京城长安，以保证至少能有一个使团不为吐蕃军队所拦截。三个使团最终都到达长安，每个使团都携带着象征南诏忠诚归顺的礼物，并且要向唐朝陈述天宝年间南诏与唐朝断绝关系的苦衷，恳请唐朝原谅，表明南诏决心正式抛弃吐蕃。

唐德宗对此感到十分高兴，亲自召见了使团成员以及带队的南诏王世子寻阁劝，并重重地赏赐了他们。白居易的《蛮子朝》一诗也反映了这次会见的场面。随后，唐德宗命令韦皋向南诏派遣一个使团。韦皋委派剑南节度的巡官崔佐作为使臣，于公元794年到达南诏都城。

其间，郑回曾秘密会见崔佐，详细地向他透露了南诏内部的实际情况。崔佐以这些情报为根据，有针对性地说服异牟寻公开与吐蕃一刀两断，主要内容包括，把尚驻守在南诏都城内的吐蕃使臣全部斩杀，并放弃吐蕃的封号和印绶。

异牟寻接受了以上全部条件。之后，异牟寻带着他的另一个儿子寻梦凑和高级官员，与唐朝使臣一起，在点苍山神庙中举行盟誓。盟誓的文书共有四份副本，一份留存在南诏都城的祖庙，一份进呈唐朝天子，一份供奉在点苍山神庙，另一份沉入洱海。随后，南诏就以例行的派兵援助为机会，偷袭吐蕃，夺取了许多战略要地，还摧毁了吐蕃进入洱海地区的主要通道铁索桥，从此与吐蕃公开决裂。

在此次胜利后，异牟寻派他的弟弟凑罗栋率领一批高级官员前往唐廷，进献南诏的地图、方物土贡，以及公元751年从吐蕃得到的金印。同时，要求恢复唐王朝当年册封给皮罗阁的尊号。朝廷满足了南诏的所有要求，并派出一个高级的官方使团出访南诏，使团的带队官员是唐朝遣祠部郎中兼御史中丞袁滋。

袁滋曾将自己出使云南的经历记录下来，汇编成一部《云南记》，可惜的是，这部书已经失传了，如今仅有一些片段被零星地保存下来。

袁滋在经过石门关时所作的摩崖石刻，现在还保存在位于云南省盐津县城南30公里的豆沙关山路西侧的崖壁上。摩崖面积为0.44米×0.36米，自左至右，全文直书8行，每行3—21字，全文为：

大唐贞元十年九月廿日，云南宣慰使、内给事俱文珍，判官刘幽岩，小使吐突承璀，持节册南诏使、御史中丞袁滋，副使、成都少尹庞颀，判官、监察御史崔佐时，同奉恩命，赴云南册蒙异牟寻为南诏，其时节度使、尚书右仆射、成都尹兼御史大夫韦皋，差巡官、监察御史马益，统行营兵马开路置驿，故石纪之，袁滋题。

南诏给了袁滋使团以热烈而隆重的欢迎，沿途都有官员和仪仗队迎候接送，每经过一个城镇，几乎都会有步马军组成的仪仗队排列在路的两边，数千蛮夷百姓列队迎候。当使团快要到达南诏都城的时候，异牟寻亲自出都城5里迎接，跟随异牟寻出城迎接的还有他的儿子寻阁劝以及大批南诏的高级官员。欢迎队伍以12头装饰华丽的大象为先导，然后是马队、伎乐队，鼓乐响彻云霄。

在宣读诏书时，南诏王异牟寻及清平官以下面北肃立，宣慰南诏使和随从官员面东方而立，册立南诏使袁滋作为皇帝的代表面南立，宣读了皇帝的诏书。南诏王异牟寻离位，跪受唐朝的册封，领取朝廷赐予的金印，上面铸有“贞元册南诏印”的字样。这里有一个值得注意的细节，在制作这枚金印时，韦皋曾经特地叮嘱，这枚金印绝不能小于先前吐蕃送给南诏的那枚。因此唐朝册封南诏的金印是依照韦皋的要求而特别加大了尺寸的。然后又颁赐贞元十年的历日，表示从此南诏恢复使用大唐年号纪年。自此，唐朝与南诏正式回归盟友关系。

在宴会上，袁滋说，南诏的职责是保持对唐的忠诚，为大唐王朝戍守西南边疆。而异牟寻则谦恭地回答："敢不承命！"册封结束之后，异牟寻派遣一组官员随袁滋的使团回京，奉表谢恩，同时献上一大批珍贵的贡品，包括闻名于世的宝剑——铎鞘和浪川剑，以及生金、瑟瑟、象牙、犀角、牛黄、琥珀、越赕马等。

此后，唐朝接连取得了对吐蕃的胜利。公元797年，吐蕃向唐朝提出希望能举行和谈，但唐朝认为此时尚不到和谈的最佳时机，对这一要求加以拒绝。公元800年时，韦皋又在黎州、嶲州对吐蕃采取了一系列的军事行动，并且都取得了胜利。同年，吐蕃的重要将领马定德投降韦皋。由于马定德熟知吐蕃的军事机密及山川地形，他的投降无论是在实际作战中还是在精神上对于吐蕃都是一个沉重的打击。

公元801年，唐朝和吐蕃展开了最后一场具有决定意义的大会战。当年年初，吐蕃再次袭扰并劫掠唐朝的西南边疆，唐德宗诏令韦皋反击。在韦皋看来，继续纠缠下去只会形成无意义的消耗战，因此他下定决心，投入自己的全部精锐，放手一搏，与吐蕃展开决战。

韦皋命令镇静军使陈洎等统兵万人出三奇路，威戎军使崔尧臣统兵千人出龙溪石门路南，维、保二州兵马使仇冕、保霸，二州刺史董振等统兵2000人进攻吐蕃维州城，北路兵马使邢玼等统兵4000人扑向吐蕃栖鸡、老翁城，都将高倜、王英俊统兵2000人奔故松州，陇东兵马使元膺统兵8000人出南道雅、邛、黎、嶲路，又令镇南军使韦良金统兵1300人续进，雅州经略使路惟明等统兵3000人趋吐蕃租、松等城，黎州经略使王有道统兵2000人过大渡河，深入蕃界，嶲州经略使陈孝阳、兵马使何大海、韦义等，及磨些蛮、东蛮二部落主苴那时等统兵4000人进攻昆明城、诺济城。各路兵马分进合击，自八月出兵，至十月破吐蕃兵16万，拔城7座、军镇5个、居民3000户，生擒6000人，斩首万余级。吐蕃派遣内大相兼东境五道节度兵马都群牧大使论莽热率兵10万来救，韦皋派1万人设下埋伏，然后用1000人引诱敌军进入埋伏圈。吐蕃10万大军全军覆没，论莽热也被俘虏后送到长安。

这一战之后，无论是在西南还是西北，吐蕃都失去了威胁唐朝的能力。

唐朝对吐蕃的胜利使得西南边疆的许多部族争先恐后地归附唐朝，他们中的一些部族甚至在此前从未与唐朝建立过关系。当时在南诏控制之下的骠国，也在公元802年随南诏的使团前来归附，一时间轰动京城。这一使团还带来了一个乐团，关于这一点，我们在之后还会有所提及。

在公元801年的辉煌胜利之后，韦皋被提升为检校司徒兼中书令，封南康郡王，公元805年，又被任命为检校太尉。但就是在当年，韦皋因为暴病而突然去世，享年61岁。

也许是冥冥中有注定，韦皋真的如胡僧所言，把自己的后半生都投入到了蜀地当中。他执掌蜀地21年，共击破吐蕃军队48万，擒杀节度、都督、城主、笼官一千五百余人，斩首5万余级，获牛羊25万头，收器械630万，在他的经营下，自天宝以来一直困扰着唐朝的西南边患最终得到了解决。韦皋死后，蜀人将他作为神明来供奉，看见其遗像必拜。

韦皋去世后，他的功绩并没有随之消散，西南地区并未因他的去世而出现动荡，反而延续了他在世时创立下的和平共处的局面。唐朝和南诏之间的经济文化交流在不断推进，南诏接受了唐朝的文化和技术，同时帮助唐朝维持西南地区的秩序，南诏自己也获得了一个稳定的发展环境。这种和平的局面维持了半个世纪以上。正是在这种和平的环境中，南诏得以创造了自己的辉煌文化。

第四章

风化：风俗、文化与宗教

南诏的创立者细奴逻生于公元629年，那时唐王朝正式宣告成立也才仅有11年；南诏灭亡于公元902年，在5年之后，大唐王朝也就寿终正寝了。可以说，南诏政权是与唐王朝相始终的。南诏在皮罗阁、阁罗凤统治期间达到了鼎盛，与唐王朝达到鼎盛的时间也几乎是同步的。这其中是否包含着某种历史学家们尚未揭示的历史规律，我们不得而知。但是，南诏与唐王朝历史发展的同步性，却无疑对南诏的文化发展产生了巨大的影响。

以乌蛮、白蛮为主要民族成分的南诏国内，存在着许多与中原地区不同的风俗文化，表现着浓郁的西南边疆特色。但在南诏统治期间，其对中原文化的吸纳，以及与中原的唐王朝之间的文化互动，也是非常明显的。

异域殊俗：别具一格的习俗风尚

说到南诏独具特色的风俗习惯，最有趣的当属父子连名制。具体来说，就是用父亲名字的最后一个字作为子女名字的第一个字。

从南诏的创立者细奴逻开始，南诏历代国王的名字都是按照这样的脉络传承的：细奴逻—逻盛—盛罗皮—皮罗阁（唐赐名“蒙归义”）—阁罗凤—凤迦异（早卒，未继承王位）—异牟寻—寻阁劝—劝龙晟—

（弟）劝利晟—（弟）劝丰佑—世隆—隆舜—舜化贞。

在这种父子连名制的命名方式下，父子的姓名环环相连，可以逐代上溯，在不使用姓氏的情况下，也不失为一种标注家系传承的方法。

其实，虽然早期的白蛮是没有姓氏的，但是最晚在南诏祖先舍龙一代，就已经以“蒙”为姓了，南诏在六诏时代的名称“蒙舍诏”，就来源于其首领的姓氏。只是我们在习惯上对南诏的历代国王只称呼其名，而没有将姓冠之于前。

除南诏王族以外，史书上记载的很多南诏的官员也都有了姓氏，但他们的名字往往比较长而且绕口，如“王琮罗铎”，“段旋忙凑”等，很可能他们“名”的部分也是通过父子连名制取的。另外还有一些人的姓名，与汉族人的姓名没有太大区别，这些人可能是迁至南诏的汉人，也可能是受汉文化影响较深的当地少数民族。

在后来的大理国时期，受佛教信仰的影响，还出现了一种“佛号命名制度”，就是佛教信徒将“本尊”（即主要的崇拜对象或希望修炼达到的境界）之名加入到自己的名字之中，表示信仰的虔诚。如李观音得、李药师祥、杨天王秀等，都是见诸记载的人物。不过在南诏国时期尚没有发现这种现象。

南诏的服饰，既吸收了流行于唐朝的中原汉族服饰的特色，又保留了很鲜明的本民族风格。在南诏国内部，由于族属的不同、身份地位的差异，不同人群所穿戴的服饰也各不相同。

在南诏，上层人士的服饰与唐朝官员的服饰基本相同。根据《南诏图传》和剑川石窟中的雕像所提供的信息，南诏国王与高级官吏皆穿圆领长袍，南诏王头戴红色的头囊，羽仪长以上的官员则头戴黑色头囊，其他的南诏官员头顶梳髻。贵族妇女也同样梳髻，穿长袍。南诏在服饰的颜色上崇尚紫色和绯色，紫色的含义比绯色更为高贵。在南诏，有大功的官员可以获赐绯色、紫色或二色绫袍，有的官员还受赏佩金佉苴，即金腰带。地位更加尊贵的则有资格身披波罗皮，即虎皮。

南诏的波罗皮制度是在吸收吐蕃的虎皮制度并结合南诏自身的虎崇拜传统发展起来的，有资格披虎皮的人物在南诏的地位必定极其高贵。不过，在南诏，只有国王和少数贵族有资格全身披波罗皮，其次是胸前背后得披波罗皮，再次是仅胸前得披。实际上，南诏先民有着以牛羊皮做衣服的习俗，这种身披波罗皮的制度也可能是披毡之风的遗存。

按照南诏习俗，无论男女贵贱都赤足，但是到了后期，南诏国王已经开始穿靴，贵族男女中有的穿鞋，有的仍然赤足。

除了上层贵族之外，普通的南诏百姓之间的服饰也有差别。南诏国王属于乌蛮，因此在南诏，乌蛮的地位要高于白蛮，这一点也体现在了服饰上。乌蛮服饰的材料多为全毛或棉布，男子头巾规整，女子穿的是裙腰长、裙褶多的百褶裙，并习惯佩戴金银饰品，无论男女老幼，服饰均以黑色为主。白蛮所穿的衣服多由羊毛或麻布制成，男子的头巾比较随意，妇女则穿不过膝的裙子，颜色也比较艳丽。乌蛮与白蛮的普通百姓所穿的服饰，在风格上与中原的相差较大，而这些富有民族风格的服饰，在今天的云南少数民族服饰中也能看到遗存。

在南诏，最具风格的吃法，莫过于生食。南诏时期可供食用的动物种类很多，包括猪、羊、猫、犬、骡、驴、豹、兔、鹅、鸭等。南诏人将这些食材烹调至半熟后，就加入香料，直接食用。南诏控制下的“寻传蛮”，则更是“射豪猪，生食其肉”。这种喜爱生食的习俗，直到今天仍然在云南部分少数民族中流传。

除了生食之外，南诏人在饮食上的另一大爱好就是饮酒。樊绰在《云南志》中记载，南诏地区酿造的酒，“酒味酸败”，看来南诏的酿酒技术并不高明，但是这并不影响南诏人喜爱饮酒。南诏人经常相聚饮宴，一旦邀请的客人之中有一人不到都会“深以为耻”。席间宾主频频互相劝酒，如果对方不胜酒力，敬酒人甚至会和对方互相推搡，务求人人不醉不归。宴会过程中常常有歌舞助兴，席间欢声笑语不断。

在男女恋爱婚嫁方面，南诏的规定比较自由。每当夜幕降临，青年男女都会穿行于村巷之间，或吹口哨，或吹树叶，或唱情歌，相互应答，如果双方两情相悦，就可以结为夫妇，即使是私订终身，在当时也是被社会允许的。根据当地的习俗，如果男女双方都没有配偶（包括丧偶），那么就可以根据自愿结为伴侣，任何人不得干涉，甚至在成婚之日，新人原来的情侣也会受到邀请，并视为上宾，有丰富的馈赠，这在中原地区是难以想象的。但是，如果是已经嫁人，且丈夫健在的女子，一旦与人私通，私通的男女双方都要被判处死刑。

在南诏的百姓之间，婚恋的自由程度相当高。但是对于南诏统治集团而言，婚姻作为获取政治利益的手段，必须谨慎对待。南诏上层的婚姻大多数情况下是贵族之间的联姻，或者是与其他政权的和亲，在这一点上，南诏的统治者与古今中外任何政权的统治者都是一样的。

顺便提一句，在南诏统治的边缘地带，有一些发展比较缓慢的部族，比如“裸形蛮”等，这些部族由于发展水平较低，在南诏时期仍保留着族外群婚制的习俗。

从战国时代一直到南诏中期佛教占据统治地位之前，南诏地区的丧葬习惯一直是棺葬，这一点已经得到了考古学上的证实。南诏时期的棺葬所用的棺材有铜棺、石棺和木棺的区别，其根据应当是墓主人生前地位的不同。当佛教在南诏日益流行之后，南诏的丧葬习俗逐渐改变，开始使用佛教密宗式火葬。

当时的南诏居民在去世后要请阿吒力僧人来主持。首先念经超度亡灵，停尸三日后，择吉日进行火化。之后，要将骨灰装入骨灰罐内，如果有化不尽的骨殖，在装罐前要由阿吒力僧用朱笔、墨笔或金银粉写上梵文。骨灰罐上一般用莲花、十二生肖、佛像等图案进行装饰。骨灰要埋藏在村寨后的家族墓地内，一般还要有贝币、铜钱、手镯等物品陪葬。在坟上要树立墓碑，也有的树立墓幢。墓碑上书死者姓名、生平，一般用汉字，另外还要用梵文在墓碑上书写陀罗尼经咒。每隔七日请阿吒力僧作斋，从一七，直至五七斋毕，葬礼仪式才正式宣告结束。

从南诏的丧葬习俗来看，无论是请阿吒力僧主持葬礼，还是火葬，包括用梵文在墓碑上书写经咒，以及从一七到五七等，都明显是受到了佛教信仰的影响。而停尸三日，在墓碑上书写死者姓名与生平，并且一定要用汉字，则很明显是汉地习俗在南诏的流传。但无论是来自哪里的风俗，表达的都是对死者的哀思和怀念，这种人类共有的情感，是超越种族和文化的。

百花齐放：令人震撼的文艺成就

公元698年，当时南诏尚未建国，时任河东州刺史的西爨白蛮大姓酋长王仁求去世，长子王善宝立碑歌颂其父的功德。碑文为成都閰丘均撰，王善宝书。碑文所用文字采用武则天颁行的字体，同时还运用了唐代民间流行的通俗字体，碑文风格具有典型的唐代特征。由此看来，在南诏立国以前，云南当地的居民就已经接受了唐代的流行文体和文风。

到了南诏时期，其文学作品更是多具有唐代文学作品的风范。南诏的很多诗文都流传到了内地，有的还被收录在《全唐诗》、《全唐文》中，比如南诏王寻阁劝所作的《星回节游避风台与清平官赋》。全诗如下：

避风善阐台，极目见藤越。
悲哉古与今，依然烟与月。
自我居震旦，翊卫类夔契。
伊昔颈皇运，艰难仰忠烈。
不觉岁云暮，感极星回节。
元昶同一心，子孙堪贻厥。

在这里我们要提一下星回节的问题。星回节是南诏的一个重要节日，有的说法认为南诏在农历六月二十五日庆祝星回节，也就是如今火把节的前身；但也有的说法认为，星回节是在农历的十二月十六日举行的。两种说法哪一种更可靠，目前尚存有争议。

在南诏王的示范和榜样作用下，南诏官员中也出现了不少诗人。比如清平官段义宗的《题大慈寺芍药》“繁影夜铺方丈月，异香朝散讲筵风”和《题三字经楼》“玉排指道珊瑚殿，金错危栏翡翠楼”；世隆时清平官董成的《怀乡》“悬心秋月夜，万里照关山”；清平官杨奇鲲的《岩嵌绿玉》“天孙昔谪天下绿，雾鬓风鬟依草本。一朝骑凤上丹霄，翠翘花钿留空谷。”

这些诗歌文学价值很高，同时都带有很明显的唐诗风格和韵味，既反映了南诏诗歌创作的水平，也印证了南诏对中原汉文化的学习和接受。

南诏散文的成就，首推郑回所作的《南诏德化碑》的碑文。碑文叙事委婉曲折，议论流畅典雅，全文骈散并用，一气呵成，出色地完成了为南诏辩护的任务。唐大中初年，南诏就唐朝减少南诏子弟就学成都的人数一事上书质询，这篇呈词也是南诏散文的代表作，尤其是文中的“一人有庆，方当万国而来朝；四海为家，岂计十人之有费”，颇有辞赋名家之风。唐朝的官员在阅览后都发出了“开缄捧读，辞藻斐然”的感慨。

总体而言，南诏的文学呈现出的特点是，体裁上以诗歌、散文为主，虽有精品，但总数量较少，创作群体的成员主要为君主、贵族和高级官员。文学风格受唐代汉族文学影响很大，与内地的文学作品有很强的共通性和相容性。

南诏的少数民族文学作品在今天几乎已经全部亡佚了，这不能不说是一大遗憾。值得一提的是，在南诏曾出现过一种用于记事的“白文”，即用汉字标记白蛮语音的文字，现在发现的白文多用于有字砖瓦上。到了清代，云南仍然有使用白文的记录，但随着进一步受到汉文化的影响，汉字逐渐得到了普遍的接受，白文的使用日益减少，直至最终消失。

南诏时期的绘画作品流传至今的比较少。现代人如果想要对南诏时期的绘画艺术有所了解的话，可依据的材料其实并不多。

最著名的是《南诏图传》，虽然创作于公元899年，即南诏中兴二年，但是原画早已不知所踪。在公元945年，这幅画卷又被临摹了一遍，并加绘了大理国开国国君“文武皇帝”段思平的画像，也有人认为，可能是段思平的画像被直接加在了原画之后。但是，这份摹本，或修改后的原作，今天的我们也无缘见到了。《南诏图传》保留下来的唯一副本藏于日本京都藤井有邻馆，通常认为，这一幅是12—13世纪的摹本。

这份摹本的卷首题有1727年清人张照所写的长篇题记，而卷末清代成亲王爱新觉罗·永越在1820年所写的题记，则证明了它曾经被收藏于清朝王府。1900年，这份摹本被八国联军掳掠，从此流落海外。1932年，美国女学者海伦·嘉平在日本山中公司的纽约分理处见到这件珍品，并获得其照片。1967年，我国台湾学者李霖灿发表《南诏大理国新资料的综合研究》，并刊登其全卷照片，此时，《南诏图传》的摹本已经被转至日本京都藤井有邻馆。这份经历曲折坎坷的摹本保留至今也是殊为不易。虽然是摹本，但这幅画卷还是能给我们提供相当多的关于南诏时期绘画艺术的信息，仍不失为南诏美术作品的代表。

《南诏图传》又称《南诏中兴画卷》、《南诏中兴国史画卷》、《南诏中兴二年画卷》，由文字卷和画卷两个长卷组成。文字卷有二千五百多字，内容是对绘画内容的详细讲述；画卷纸本设色，长约5.73米，高约0.3米。《南诏图传》以佛教故事和南诏历史为题材，描写了许多故事，这些故事既可以独立成篇，又能相互连接，形成一个完整的故事，以此追思先人，歌颂祖先功绩，颂扬佛法，并强调祖先基业“受命于天”的合法性。

画卷包括三部分内容，第一部分是巍山起因，讲述细奴逻家族敬事观音，得到佛法护佑，成就大业。

第二部分是祭铁柱图，讲述了受唐朝敕封的白国主、云南大将军张乐进求重修诸葛亮平定南中时所立的神铁柱，在落成之日的祭祀和庆典上，一只五色鸟先落到铁柱上，随后又停留在细奴逻的肩上。张乐进求认为这是天降祥瑞，于是把女儿即云南民间传说中的“三公主”嫁给了细奴逻，并“举国逊之”。细奴逻由此开创了蒙舍诏。

第三部分是西洱河记，主要内容为洱海之神有金螺金鱼，但却被两条毒蛇左右缠绕。这段内容和《南诏图传》的整体基调相差甚大，原因不明。也可能是作者怀念祖先的功绩，联系南诏江河日下的现状发出的感慨。事实上，在《南诏图传》的原本完成三年后，南诏就宣告灭亡了。但也有的学者认为，两蛇相交、金螺金鱼等内容，可能是南诏先民生殖崇拜的遗存。

《南诏图传》是云南最古老的纸上绘画作品。场面宏大，人物众多而各有特色，在技艺上具有很明显的民族特色，同时也可以看出受到唐代佛教壁画风格的影响。正是在《南诏图传》的基础上，后世大理国才能创作出《宋时大理国描工张胜温画梵像》的经典之作。

《南诏图传》同时也是对南诏历史的记录，图文并用，记载了大量南诏的历史和传说，并刻画了众多古代西南少数民族人物的形象，尤其为研究南诏佛教、职官、服饰、建筑、器用、风俗习惯等方面，提供了大量珍贵的第一手资料，同时还可以与史书记载相互对照、印证。因此说，《南诏图传》不但是珍贵的文物和艺术品，在历史研究方面，同样有着极高的价值，是不可多得的一件瑰宝。

南诏的音乐以本土音乐文化为基础，汇集了多种不同的音乐舞蹈文化，最终形成了独具特色的音乐舞蹈艺术，并创作出一批优秀的艺术作品。其中最为著名的，就是《南诏奉圣乐》。

公元800年，异牟寻派遣使者杨嘉明率领一支歌舞乐团，准备通过剑南西川节度使韦皋向唐朝进献“夷中歌曲”《天南滇越俗歌》四章。乐团到达成都后，韦皋对整套乐舞进行了加工整理，并且修订了歌词，将乐谱舞图记录成册，最终定名为《南诏奉圣乐》，并由南诏的歌舞乐团赴长安，在麟德殿向唐德宗献艺。《南诏奉圣乐》是唐代云南民族音乐舞蹈艺术的最高成就，同时也是目前已知的历史上首次融合西南、西北、中原的音乐舞蹈风格所进行的大型歌舞综合表演。其规模之宏大，气势之雄伟，均令人叹为观止。

据记载，整套《南诏奉圣乐》共有30首乐曲，担任演奏任务的乐队分为龟兹部、大鼓部、胡部、军乐部等四部分，使用乐器近30种。龟兹部所用乐器包括：羯鼓、楷鼓、腰鼓、鸡娄鼓、短笛、大小觱篥、拍板等8种，各8件；还有横笛、短箫、长箫、方响、大铜钹、贝等6种，各4件，共88人操作，分为4列，置于舞场四边。大鼓部所用乐器为大鼙鼓24面，分4列，居龟兹部之前。胡部所用乐器包括：筝、大箜篌、小箜篌、五弦琵琶、笙、横笛、短笛、拍板等8种，各8件；还有大、小箫，各4件，共72人操作，列为4排，为歌唱时伴奏。军乐部所用乐器包括：金铙、金铎各2件，㧊鼓、金钲各4件，共12人操作。负责演奏《南诏奉圣乐》的乐手共196人，如果将执鼓者也计算在内，那么整支乐队达212人。根据其他记载，《南诏奉圣乐》的演奏还用到了埙、轧筝、黄钟箫、笛倍等古代乐器，如果是这样，那么参与到《南诏奉圣乐》的乐队规模应该比之前估计的还要大。

《南诏奉圣乐》的音调主要有：黄钟，宫之官，“军士歌《奉圣乐》者用之”；太簇，商之官，“女子歌《奉圣乐》者用之”；姑洗，角之宫，“女子歌《奉圣乐》者用之”；林钟，征之宫，“效拍单声，奏《奉圣乐》，丈夫一人独舞”；南吕，羽之宫，“一人独唱，歌工复通唱军士《奉圣乐》词”。

中国古代的五音宫、商、角、徵、羽既表示音律，同样也可以用于表示方位。具体来说，宫音象征中央，商音象征西方，角音象征东方，徵音象征南方，羽音象征北方。《南诏奉圣乐》遵循了这一原则，用宫音代表位居中央的唐王朝，用徵音代表地处南方的南诏，宫音和徵音的变化隐喻南诏归顺大唐成为中央王朝的一部分。用角音和羽音来表示北方少数民族也决心对唐王朝效忠。构思之精巧，寓意之吉祥，实在令人拍案叫绝。

除了音乐以外，《南诏奉圣乐》在舞蹈方面的成就也令人瞩目。参与舞蹈表演的女演员的服饰以南诏贵族妇女的服装为主，但是却仿照龟兹风俗穿彩画皮靴。数十人手执羽毛而舞，并连续组成“南诏奉圣乐”的字样。

执羽而舞，是西南地区传统的舞蹈形式，自战国以来流传于西南地区，考古发掘出土的战国两汉时期的铜鼓上就常见羽人舞的花纹。在舞蹈中组成字样的表演方式则来源于唐朝出现的字舞。所谓“字舞”，就是舞人在舞蹈过程中“亚身于地”，布成文字，武则天曾亲自排演了“舞之行列必成字”的《圣寿乐》。所以说，《南诏奉圣乐》的舞蹈，一方面继承了古代西南民族的传统舞蹈艺术，另一方面从唐朝以及其他风格的文化中汲取了丰富的养分。

舞者16人，手执羽毛，以4人为一列，伴随乐队演奏，连续舞成“南—诏—奉—圣—乐”五字，每舞一字，伴唱一首歌。在起舞时，仿效唐代字舞的手法，趁观众不留意之际，暗中变换服装，达到意想不到的演出效果。字舞结束之后，又有集体舞《辟四门》和独舞《亿万寿》。在整个舞曲的最后，要演唱《天南滇越俗》。

在隋唐燕乐中，有一种名为《大曲》的大型歌舞，这个节目分为散序、拍序、急奏三大部分，在表演中将器乐、声乐、舞蹈有机地编织在一起。如果我们将《南诏奉圣乐》与《大曲》作一个对比，就会发现二者的布局结构和表演形式极为相似。由此我们可以断定，《南诏奉圣乐》受唐《大曲》的影响极其深刻。这也更加证实了《南诏奉圣乐》的诞生是受到了多民族艺术的熏陶。

《南诏奉圣乐》可以看作南诏在音乐舞蹈方面的集大成之作。不但场面恢宏，而且各种乐器、各个乐部、独唱、合唱、配乐、歌曲、舞蹈都有机地融合在了一起，形式风格多样却又和谐有序。

当然，异牟寻进献夷中歌曲，韦皋将其改编为《南诏奉圣乐》，最看重的并不是其艺术价值，而是政治意义，从这一点上来说，《南诏奉圣乐》出色地完成了它的任务。因为《南诏奉圣乐》贯穿始终的“效忠大唐”、“颂扬圣德”的主题，以及欢乐祥和的气氛，为双方提供了一个难得的互相表示友善态度的机会，极大地促进了唐朝与南诏之间的良好关系。同时，《南诏奉圣乐》对于各民族音乐舞蹈文化的运用，也是文化交流和民族融合成果的一次集中展示。《南诏奉圣乐》被收入了唐代宫廷乐舞，被列为唐朝宫廷十四部乐曲之一。直到今天，在闻名遐迩的“洞经古乐”中，依稀还能找到当年《南诏奉圣乐》的痕迹。

与《南诏奉圣乐》起到类似作用的，还有公元802年骠国使团的随行乐队为唐德宗表演的《骠国乐》。当时的骠国与南诏地域相近，关系密切，音乐风格极为类似。袁滋在前往南诏册封之时就曾在南诏接触过骠国音乐。《骠国乐》使长安的官民大开眼界，白居易就曾在诗中描述《骠国乐》的表演：“玉螺一吹椎髻耸，铜鼓一击文身踊。珠缨炫转星宿摇，花鬘斗薮龙蛇动。”

事实上，南诏音乐所产生的影响远不止如此，在历史上，南诏的音乐与舞蹈艺术对中华文化的繁荣所作出的贡献绝对超出了今天人们的想象。

唐宣宗大中（公元847—859年）初年，女蛮国入贡，这些女蛮国的使者“危髻金冠，璎珞被体”，号“菩萨蛮队”。于是，当时的乐工创作了《菩萨蛮曲》，在文士之间也慢慢流行开来，也就形成了后来宋词中常见的词牌《菩萨蛮》。

所谓“女蛮国”，其地理位置大约是现在西双版纳一带，在当时受到南诏的控制。曾被南方少数民族掠为奴隶，后来回到唐朝的郭仲翔，就曾经在“菩萨蛮”做过奴隶。而在头上梳高耸的名为“天菩萨”的发髻这一习俗，至今仍在西南少数民族中有所保留。因此我们可以肯定，《菩萨蛮》曲一定是受到了西南少数民族音乐的影响。据说，唐玄宗爱唱《菩萨蛮》曲，敦煌卷子中也出现过“菩萨蛮”的名称，由此看来，《菩萨蛮》乐舞传入中原地区远远早于大中年间，甚至可以追溯至盛唐。李白就曾为《菩萨蛮》填词：“平林漠漠烟如织，寒山一带伤心碧”，被后人称为“百代词曲之祖”。

提到了李白，就不能不提著名的《清平乐》。有人认为，《清平乐》配乐的曲调很可能源于南诏，因为南诏的清平官就直接掌管南诏王室的礼乐庆典。加上李白生长在四川，在地域上接近云南，因此李白熟悉西南地区的音乐是不足为奇的。

其实，不但是李白的《清平乐》，唐朝的很多著名诗篇在配乐演唱时所使用的乐曲都受到了南诏音乐的影响。王昌龄的《出塞》：“秦时明月汉时关，万里长征人未还。但使龙城飞将在，不教胡马度阴山。”此诗流传千古，在今天几乎无人不知，但很少有人知道，这首诗在当时是可以配乐歌唱的，更少为人知的是，配的曲子名为《盖罗缝》，又称《阁罗凤》，即南诏鼎盛时期南诏王的名字。

在南诏民间，比较流行“踏歌”、“壶芦笙”、“绕三灵”等歌舞形式，而每逢观音市，即后来的三月街、火把节等节日，更是有各种盛大的歌唱和舞蹈活动。据说当时的唱调和舞蹈多达一百多种，王府的官员们都曾参与到歌舞庆典当中。民间乐舞流传到宫廷之中，并得到了进一步的加工和规范，也促进了南诏宫廷乐舞的发展。

另一方面，南诏的音乐舞蹈也受到了其他形式的乐舞艺术的影响。在南诏最初依附唐朝期间，很多贵族子弟在长安学习礼乐治国之道，这些子弟在回到南诏之后，自然会在推广中原文化的同时，将作为中原文化载体的中原音乐推广开来。在公元745年，唐玄宗曾赐南诏胡部、龟兹的音乐各两部。在公元794年袁滋出使南诏时，发现当年被赐予南诏的乐工竟尚有两人在世，由此可见，在公元8世纪中亚音乐就已经进入了南诏地区，而这些音乐文化交流的情况，在上面提到的《南诏奉圣乐》中都有所体现。

今天，很多生活在云南的少数民族都以能歌善舞著称，这是有着历史传承的。

凝固的历史：佛塔与石窟

由于佛教在南诏的盛行，南诏建筑艺术受到佛教的极大影响，以至于现在流传下来的南诏时期的建筑也以佛教建筑为主，而最具代表性的莫过于南诏的佛塔了。

塔，在梵文中称作“shupo”，在巴利文中称“thupo”，在汉语中也被译为“窣堵坡”、“塔婆”、“浮图”、“浮屠”、“塔陀”等，原意表示“累积”，在佛教中主要用于供奉佛舍利、佛像，或收藏佛经、僧人遗体等，与石窟、壁画合称为佛教的三大艺术。

南诏的佛教流派众多，组成复杂，所以南诏佛塔的形式也就根据修筑者信仰的佛教宗派的不同而各有特色。在南诏，最著名的佛塔当属崇圣寺三塔了。

崇圣寺是在劝丰佑时期修建的，因为有三座高塔，也被称作“三塔寺”。可惜在1872年，寺院毁于兵火，只留下了三塔尚能供今人瞻仰。

崇圣寺三塔西靠点苍山，东临洱海。三塔的主塔叫千寻塔，塔高约69.13米，共十六级。塔身由砖石构成，线条简练，风格朴实，在外形上与西安小雁塔十分类似。塔的基座呈方形，分二层，下层边长约33.5米，上层边长约21米。塔的第一层是最高的一层，高约13.45米，塔墙厚约3.3米。第二至十五层结构基本相同，大小相近。塔中有木梯可以直通第十六层塔顶。塔顶有莲花宝座，宝座上有一八角形宝盖，上托铜铸的葫芦宝瓶，是塔的最高点。塔顶四角原有金翅大鹏，用来镇压洱海中兴风作浪的恶龙。在南北与千寻塔相距各70米远的地方，分别有一座八角形砖塔，每塔各十层，高约42.19米。从建筑风格来看，修建年代应该略晚于千寻塔。

三塔当中供奉佛像经卷无数，在20世纪70年代修缮三塔的过程当中，从塔内清点出佛像、佛经等文物六百余件。

明朝黔国公沐英的裔孙沐世阶曾为三塔题写过“永镇山川”四字，神奇的是，似乎是要印证这句话一样，每逢地震，三塔总能化险为夷，渡过难关。1515年5月6日，云南地震，塔身在地震中“裂二尺许，折裂如破竹”的千寻塔，竟然在10天后自动复原。1925年，大理地震，城内99%的房屋倒塌，而三塔除了主塔塔顶宝刹被震落之外，竟然能够岿然不动。不可思议的抗震能力，更为崇圣寺三塔增添了一份神秘色彩。

另外，在今大理市下关北3公里的羊皮村（阳平村），有一座佛图塔，又名蛇骨塔。据说，佛图塔是为了纪念南诏时期舍身与蟒精“薄劫”同归于尽的勇士段赤诚而修建的。佛图塔高约30.7米，共十三级，其建筑年代、式样和所用到的建筑技法，与崇圣寺千寻塔大体一致。

崇圣寺三塔和佛图塔的式样都明显受到了汉地佛教佛塔的影响，但同样是修建于南诏的大姚白塔在形制上却大不相同。大姚白塔位于大姚县城西500米的文笔峰顶，塔身为白色，因此得名大姚白塔。因为形状如磬锤，所以又被称为“磬锤塔”。

大姚白塔属于藏传佛教塔，是天宝年间，南诏与吐蕃联盟时期由吐蕃修建的，因此在形制上与汉地佛塔迥异。这座塔是我国国内现存的较早的藏传佛教塔。据说在这座塔落成之初，塔内供奉有佛舍利。1975年，在塔顶发现了一处方洞，边长约0.4米，后人推测，这很有可能就是原本用来安置塔刹，收藏舍利的。但是今天舍利已然消失无踪，我们也无从得知更多的信息。

建筑是凝固的历史，南诏的一座座佛塔，其实也是一部部史书。瞻仰这些佛塔，就是阅读南诏的历史，品读南诏的文化。毕竟，和很多其他的文化一样，南诏的文化，也被凝结在历史的建筑里。

南诏雕塑艺术最突出的成就，当属著名的剑川石钟山石窟。石钟山是云南省剑川县石宝山的支脉，根据《康熙剑川州志》记载，剑川石钟山是因为“山中有石如钟形”而得名的。明代徐霞客曾描述此地“石面有纹如龙鳞”，颇为神奇。

比山石更为神奇的是剑川石钟山的石窟艺术。石窟开凿始于公元850年，当时尚属南诏时期，此后经五代、两宋，到1179年才完工，此时统治云南的已经是大理国了。此地原本还有一座创建于南诏时期的石钟寺，但早已被毁，如今的石钟寺为1876年重建。以石钟寺为中心，在约3平方公里的范围内，共有石窟16处，造像139尊，分为石钟寺、狮子关、沙登箐三个区域。其中规模最大、风格最鲜明的是石钟寺区，共八个石窟。

第一窟，雕刻“异牟寻坐朝图”。塑像上的异牟寻头戴莲花帽式的头囊，双手被衣襟遮盖，置于腹下，双脚盘坐在龙椅上。清平官郑回的像也被雕刻供奉在石窟之中。无论是从人物造型，还是从石窟布局来看，异牟寻既被塑造成人间国王，也有佛或菩萨的形象，这也正是南诏在国王塑像上的一个突出特点，即将国王与神明的形象一体化，国王塑像同样也在石窟中接受供奉。在其他石窟，尤其是汉地佛教的石窟中，君主仅作为供养人出现，这与南诏石窟是迥然不同的。

第二窟，雕刻“阁罗凤议政图”，在风格上与“异牟寻坐朝图”极其类似。在阁罗凤右侧坐的是一位僧人，可能就是阁罗凤之弟阁陂和尚。在他的头顶有一把曲柄伞，这是吐蕃宰相倚祥叶乐赠送给南诏的，这也印证了当时南诏和吐蕃之间的同盟关系。

第三窟，雕刻地藏菩萨。地藏菩萨是佛教四大菩萨之一，因为“众生度尽，方证菩提；地狱未空，誓不成佛”的宏愿而又得名“大愿地藏”。

第四窟，雕刻华严三圣像。据《大方广佛华严经》，毗卢遮那佛住于莲花藏世界，是一切法界的代表，文殊师利菩萨、普贤菩萨为夹侍，合称“华严三圣”。佛教的华严宗就由此而得名。“毗卢遮那”是梵文音译，汉译为“大日”、“光明普照”，因此毗卢遮那佛也被称为“大日如来”，释迦牟尼佛即毗卢遮那佛的应身佛，毗卢遮那佛即释迦牟尼佛的法身佛。此窟长约1.45米，宽约1.8米。毗卢遮那佛位居当中，双脚立地倚坐，手结说法印，袒右肩，面容方正丰腴，双目微闭，现沉思状，头部的佛光内有莲花，外为焰光，身上的佛光内有蔓草，外为焰光，佛光中浅浮雕阿难、迦叶二尊者，立于毗卢遮那佛身后。诸菩萨中智慧和辩才第一的文殊菩萨骑青狮在左，以理德、行德著称的普贤菩萨骑六牙白象在右。这组一佛、二尊者、二菩萨的雕像，无论是在造型、姿态还是容貌上，都完全符合晚唐中原佛像的风格，是民族间文化交流的见证。

第五窟，雕塑维摩诘居士。维摩诘，梵语的意思是“无垢称”，即洁净而且匀称。维摩诘身为居士，并未出家，但其佛法造诣极高，《维摩诘经》彰显以居士身份可以说法的理念，突破了弘法者必须出家的要求，这一点对汉地佛教影响很大。著名的诗人王维，字摩诘，其名、字都取自维摩诘居士。石窟当中的维摩诘像，最大的特点就是面容愁苦，与常见的富贵相维摩诘迥然不同。设计者似乎是希望表现维摩诘居士对世间众生苦难的悲悯。原本佛龛侧面还雕塑着手执经书的文殊菩萨像，可惜上身已损毁。背景雕塑有各种俗世人物和各种动物。当地百姓俗称这尊维摩诘像为愁面观音，其实维摩诘与观音绝非一体，这个名称实属误读。

第六窟，雕塑“八大明王”，因此得名“明王堂”。雕像的风格受印度和西藏佛教造像影响很明显。所谓“明王”，是菩萨在降伏妖魔鬼怪时所显现出的忿怒相。这座石窟长约11米，高约3米，是石钟山石窟中最大的一窟。当中塑佛及阿难、迦叶二尊者。“八大明王”分列左右，具体包括“大圣东方六足尊明王”（文殊菩萨的化身）、“大圣东南方降三世明王”（金刚手菩萨的化身）、“大圣南方无能胜明王”（地藏菩萨的化身）、“大圣西南方大轮明王”（弥勒菩萨的化身）、“大圣西方马头明王”（观世音菩萨的化身）、“大圣西北方大笑明王”（虚空藏菩萨的化身）、“大圣北方步掷明王”（普贤菩萨的化身）、“大圣东北方不动尊明王”（除盖障菩萨的化身）。在明王像外侧，还雕有北方多闻天王（毗沙门天王）和南方广目天王（大黑天神）两位护法天王。

第七窟，雕塑甘露观音。观音头戴佛冠，面容慈祥温厚，倚坐在莲台上，头顶现桃形光芒，背后现圆形光芒，左手捧钵，右手执柳向人间挥洒甘露，故称甘露观音。因为这尊观音胸口有一方洞，因此也被称为剖腹观音。甘露观音造像可能是受到了藏传佛教的影响，菩萨像胸口处的洞可能是藏传佛教为了装藏七宝、经书所修的。

第八窟，雕塑“阿姎白”。正中雕刻“阿姎白”。在白族语言中，“阿姎”指的是姑娘，而“白”则是裂缝的意思，所以，所谓“阿姎白”，实际上是女性生殖器的象形物。当地妇女往往对其供奉求子。

狮子关区在石钟山对面，上面有三座石窟，其中有著名的细奴逻全家福，还有一座梵僧观音像，相貌具有典型的胡人特征，背有佛光。沙登箐区距离石钟寺约4公里，共有六座石窟，各石窟之间距离相对较远。

剑川石钟山石窟所展现出来的艺术成就，无论是佛教艺术还是雕塑艺术，都是多样性文化的汇聚。雕塑给了它们形体，文化赋予它们生命。千百年沧桑，不知多少人事已非，唯有它们还留在山崖上，静静地讲述着一个个的故事，仍然在微笑，仍然让人看不透。

异彩纷呈：相互融合的几大宗教

与中原王朝一样，南诏的统治思想也是儒学。

在东汉，随着中央王朝对云南的开发，作为正统思想的儒学就已经进入云南了。1901年，在昭通白泥井（云南省昭通市境内）出土了约立于公元157年的孟孝琚碑，碑文中记载，生于边地的少年12岁就学习《韩诗》，精通孝经，博览群书，更重要的是，文中明确称孔子为“大圣”。由此可见，当时的云南地区，不但学习儒家经典的风气已经逐渐盛行，孔子的圣人地位也得到了承认。

到了南诏时期，儒学得到进一步发展。首代南诏国王细奴逻就曾“劝民间读汉儒书”。盛罗皮本人很崇敬孔子，在南诏境内建立了孔庙。阁罗凤更是将儒家思想作为立国与立身的准则，甚至做到了“不读非圣之书”，史书上对他的赞美也完全是以儒家的价值观为基准。

阁罗凤不但自己重视儒学，还要求南诏王室子孙接受严格的儒学教育，正因为如此，他才会让郑回担任南诏王族子弟的教师。在郑回的培养下，南诏国的下一任国王异牟寻成为南诏历代国王中对儒家思想及中原文化仰慕最深的一位。异牟寻经常抱怨南诏地处偏远，难以接受中原文化的熏陶，要求南诏王族子孙必须学习儒家经典。而恰好在当时，韦皋为了加强唐朝与南诏的合作关系，选派南诏子弟到成都学习，这些人饱读诗书，学成而归，又在南诏地区进一步地扩大了儒学的影响。

儒家思想不但在南诏的文化水平和价值观念方面起到了深远的影响，对唐朝和南诏之间友好关系的发展也作出了不可低估的贡献。但是，儒家思想长时期局限于在南诏社会上层流行，在下层的影响却十分有限，并未形成一个受到全社会认可的体系。在南诏人的社会生活中，发挥更大作用的是宗教。

南诏的宗教文化最显著的特点，就是多种宗教并存。在南诏影响较大的宗教包括巫教、佛教（包括阿吒力派、小乘上座部和汉传佛教）以及道教，而巫教才是当地土生土长的宗教，并且具有原始宗教的特点。

在远古时代，人类尚过着穴居野处、茹毛饮血的生活，但也已经有了图腾信仰和祖先崇拜。南诏王室蒙氏家族对于“波罗蜜”，即老虎，有着十分强烈的崇拜。从细奴逻到舜化贞，南诏国王名字中带有表示虎的“罗（逻）”字的竟有五人之多。这种对虎的崇拜的来源，应该是南诏王族所属的民族乌蛮对其先民羌族的虎崇拜文化的继承，也是一种图腾崇拜的遗存。南诏统一六诏之后，西南各族早期的图腾及祖先信仰已经演变成巫教、本主崇拜、土主崇拜等宗教形式，在云南流传。

在我国的西南各省，巫教信仰由来已久。至迟在东汉时期，史书中就已经有了西南地区少数民族崇尚巫鬼的记载。在南诏崛起之前，巫教正是当地主要的宗教信仰。乌蛮和白蛮各部都有政教合一的首领，称“鬼主”。鬼主既是巫教的祭祀，又是部族的酋长，在本族内部权力极大，或通过世袭，或通过选举方式产生。各个鬼主所统辖的势力规模根据其所属的部落各不相同，所谓“大鬼主”或“都鬼主”，所统领的都是较大的部落，最小的“小鬼主”仅仅能掌握一百余户人家。众鬼主之间虽有大小之分，却无尊卑之别，各自独立，互不统属。

巫教所崇拜的鬼神数目众多，几乎每一种事物都有各自的主宰鬼神，其中最具代表性的是天鬼。白蛮称天鬼为“害之特”，意为“我们白人的天神”，视其为本民族的守护神。天鬼因为其至高的地位，又被叫做“高处鬼”，对天鬼的祭祀也要在高处进行。在今天云南省洱源县城南二里，还保留着唐代施浪诏主祭天台的遗址。在今云南大理白族自治州和剑川县也都保存着南诏后代政权大理国时期的祭天台。由此可见，巫教不仅仅是在南诏时期，甚至在南诏之后的时代，在西南少数民族中仍然有着广泛的影响。

事实上，虽然在南诏建国前，以及南诏早期，巫教信仰在宗教上占据绝对的优势地位，但在南诏统一之后，南诏的统治者就一直尝试着用后来传入南诏的道教或佛教取代巫教。南诏统治者这么做的原因其实也不难理解，因为巫教的信仰过于分散，每个部落、每个村寨都可以有自己单独的信仰，更何况作为巫教祭祀的鬼主还掌握着部族的世俗权力，凡此种种，都不利于南诏统治者对地方进行控制和管辖。不过，由于巫教长期根植于西南，虽然最终佛教在南诏统治中心洱海地区获得了主流宗教的地位，并且对整个南诏产生了深远的影响，但是在民间，尤其是偏远地区，巫教并没有销声匿迹，在南诏中后期，巫教发展成为本主崇拜和土主崇拜的形式，继续在白蛮和乌蛮之间盛行。后期的南诏统治者在崇奉佛教的同时，也对巫教加以重视，这应该是官方意志与民间要求相互博弈又相互妥协的结果。

所谓本主崇拜，是南诏时期在白蛮之中产生的巫教信仰的一种新的形式。本主，又叫本主神，白语称“武增”，意为“我的主人”。本主崇拜来源于白蛮信仰的巫教，但又有所损益：首先，本主是“本境之主”，是某一地域的共同信仰，有别于以血缘为纽带的氏族中的共同信仰；其次，本主是神而不是鬼，这与信奉鬼的巫教观念是有明显差别的。

在信仰本主的各地或各个村寨，都建有自己的本主庙，供奉本主神。有时会有多个村寨共同信奉一个本主的情况发生，此时，各村就会联合建造本主庙，共同祭祀。不同的本主，身份也各不相同，总的来说，本主的类型可以概括为自然神、佛道神祇以及历史人物三类。每一位本主在本地的信仰体系中都是最高神，掌管着本地的一切吉凶祸福，既可以保佑平安吉祥，也可以降下天灾人祸，与其他地区的本主互不统属，既无联系，也不冲突。

本主崇拜往往带有很强的世俗性和功利性，不求永恒、不问来世，只关注当前在世俗生活中的追求，向本主祈求的内容，例如驱病辟邪、趋利避弊、求财求子，无不与现实生活密切相关。也许正是因为如此，对本主的崇拜和信仰一直流传了下来。时至今日，在白族人民中间，仍然普遍存在“祭本主”的习俗。

与本主信仰相对的，是土主信仰。土主信仰的范围相对而言比较小，主要集中于今巍山和哀牢山区。本主崇拜与土主崇拜既有联系又有区别，最根本的区别是二者崇拜的对象不同。土主信仰来源于祖先崇拜，受到供奉的土主神皆为南诏王和郑氏祖先，即“祖先神”；本主崇拜来源于自然崇拜和对部落神的崇拜，本主神的来源复杂多样。

巍山地区的彝族和汉族居民从来只称土主庙，而不称本主庙，在记载有关巍山土主庙信息的史书中，也只言土主庙，而不说本主庙。不过在之后，“土主”一词所代指的范围扩大，似乎也包含了部分相当于“本主”的含义。

无论是本主信仰，还是土主信仰，从本质上来说都是巫教的延续。时至今日，西南地区少数民族的很多风俗、习惯、节庆，都能从巫教中追根溯源，可见巫教对西南地区的影响之深，南诏时期巫教信仰之盛也可见一斑。

不过，随着南诏与外界文化交流的逐渐深入，越来越多的宗教和思想在南诏传播开来，撼动了巫教的地位。这其中首屈一指的，非佛教莫属。在各种宗教和思想中，若论在南诏的地位和影响，无出佛教之右者。

在释迦牟尼圆寂后大约一百年左右，由于对释迦牟尼所传的教义在理解上发生了分歧，佛教信徒之间出现了分裂，在佛教历史上被称为“根本分裂”，之后形成了上座部和大众部两大派，标志着佛教进入了部派时期。公元一世纪，大乘佛教形成。在传播过程中，部分大乘派别综合了般若中观与唯识派的学说，并融合了婆罗门教的多神信仰、修行方法、咒术仪式，创立了佛教的密宗一派。密宗也被称为真言宗、金刚顶宗、毗卢遮那宗、密乘、金刚乘、持明乘、果乘等，在公元7世纪产生于古印度德干高原。密宗内部，又根据学说基础源于中观派还是瑜伽派，分为金刚界和胎藏界两部。

在南诏流传的佛教被称为“阿吒力教”，属于密宗佛教的一个分支。古代印度与云南地域相近，虽然地形复杂崎岖，但并没有隔断二者的沟通。南诏时期，滇印之间的经济文化交流更加频繁，大约公元8世纪，印度密宗即已传入洱海区域，现代学术界推断，当时传入南诏的密宗应以胎藏界为主。

印度密宗传播到洱海区域之后，与南诏当地文化融合，形成了南诏特有的阿吒力教派。“阿吒力”是梵文“Acarya”的音译，原指有资格为人传法的密宗上师，引申为“轨范师”、“导师”、“正行”等含义，除“阿吒力”之外，还有“阿庶梨耶”、“阿阇梨义”、“阿阇梨”、“阿折里耶”、“阿左梨”、“阿拶哩”、“阿叱唎”等数十种不同的译法。

密宗佛教在传入南诏之初曾受到当地巫教势力的反对和打击，从遭遇排挤，到植根当地，密教在南诏经历了一个漫长曲折的过程。

《南诏图传》记载着这样一个传说，梵僧牵着一条白犬来穷石村化缘，村主王乐等人十分无礼，不但偷吃了梵僧的狗，还对梵僧肆意侮辱。梵僧施展神通，让所有偷吃狗的人腹中响起了犬吠声回应梵僧。王乐大惊失色，称梵僧为妖怪，竟然将梵僧肢解火焚，将骨灰装进竹筒，投入水中，结果梵僧破筒而出，身体完好无损。梵僧见当地人愚顽卑劣，于是登山离去，村人或骑牛乘马，或快步奔跑，前往追赶，眼看梵僧只在数里外慢步前行，但无论如何加快速度，也追不上，梵僧回头一看，王乐等人更是一步也不能向前了。这时王乐才明白梵僧神通广大，不得不磕头认罪。

就故事中梵僧的遭遇来看，佛教在南诏的流传经历了一个很艰难的历程。故事中作为阿嵯耶观音化身的梵僧的遭遇，很可能是早期在南诏传教的佛教徒的遭遇的缩影。

但是，在洱海地区，至今流传着的另一个故事——观音斗罗刹，却提供给我们不同的信息。传说当年食人作恶的罗刹父子盘踞在云南地区，观音菩萨化身梵僧，降伏了罗刹，并将其封在石洞中。时至今日，距大理古城约15公里处，在点苍山莲花峰山麓的一块巨石之上，仍保留有一座罗刹阁。巨石宽约16米，高约6米，中间一道尺许宽的裂缝将巨石分为南北两半，传说罗刹正是被锁于这条石缝之内。

这个故事是用观音代表密宗佛教，用罗刹代表巫教，观音降服了罗刹，隐喻佛教战胜了巫教，在洱海地区获得了支配地位。在历史上，佛教也的确在南诏取得了胜利。在南诏后期，佛教已然成为南诏的国教。

在南诏，观音菩萨有着众多的名号和化身形象，除了我们常见的救苦救难观世音、大悲大慈观世音、千手千眼观世音之外，还有梵僧观世音、建国观世音、除水难观世音、除火难观世音、除蛇难观世音、除兽难观世音等。从名号当中我们可以看得出来，所谓"除水难"、"除火难"、"除蛇难"、"除兽难"，都是人们根据自己的需要赋予观音菩萨的职能。除上述所列出的之外，气候的好坏，作物的丰歉以及健康、求子等问题，都被寄托给观音菩萨以求得到解决。事实上，当观音菩萨被赋予这些职能之后，就已经具备了民间信仰所崇拜的诸如风神、雨神、谷物神等神灵的形象。值得注意的是，观音菩萨在南诏成为了很多村寨信仰的本主，这也恰恰说明了对观音菩萨的信仰完成了对当地民间信仰的适应过程，也就得到了当地民众的认同。

另外值得一提的是，在印度，无论是绘画还是造像，观音菩萨的化身形象都是体态健壮、相貌英俊的青年男性，时至今日，在敦煌所发现的资料中，仍然能找得到男性的观音菩萨化身形象，但是随着佛教在中国内地的传播，观音菩萨的女性化身形象却逐渐占据了主流。而在南诏，男性和女性的观音菩萨化身形象皆有存在，女性观音化身大家都比较熟悉，而南诏男性观音化身的典型代表正是我们之前多次提到的梵僧观世音形象，如今的洱海地区还留存着对"观音老爹"的信仰，这也正是在我国难得保留至今的对男性观音化身形象的崇拜。

在南诏，与观音菩萨有过相似经历的佛教神祇是大黑天。大黑天，或大黑天神，在梵语中被称为"Mahākāla"，也有人称之为大黑、大时、大黑神等，或者直接音译为摩诃迦罗、玛哈嘎拉。大黑天本是婆罗门教大神湿婆的变身，后来被佛教吸收，成为佛教的护法天神，在密宗中的地位尤其重要。藏传佛教认为大黑天是大日如来佛在降魔时显现的忿怒相。

大黑天在南诏受到了广泛的崇拜，但根据被崇拜的场合不同，大黑天的身份也不尽相同，所谓“在天为天神，在寺为伽蓝，在庙为本主”。阿吒力教的大黑天已经兼具佛教和巫教双重神祇的身份，也正是密宗佛教与巫教在云南相互影响的体现。

对于密宗佛教而言，与巫教互相融合虽然是获得南诏接受的重要步骤，但还远远不足以达成其目的，因为巫教绝不是南诏文化的唯一组成部分，至少儒学在南诏的地位就绝对不可忽视。

宗教在传播过程当中往往选择走“上层路线”，那是因为一旦获得了统治阶层的接受，或者自己的教徒进入了统治阶层，都会对本宗教的发展提供极大的便利。密宗佛教在进入云南之初，也的确竭力与南诏的上层接触，并取得了良好的成效，但是佛教僧侣如果要真正地成为统治集团成员的话，就必须熟练掌握汉字，通晓儒家经典，学习治国之道，这样，他们才具有参与到政治运行中的可能。到了南诏后期，僧侣们将这变成了现实。在当时的南诏出现了一个特殊的群体——释儒。释儒，又称“儒释”。释儒既信仰佛法又接受儒学，他们当中的很多人被任命为官吏，参与到南诏的政治活动当中。所以说，正是通过对儒学的接受和吸纳，才使佛教在南诏获得如此崇高的地位。

除了巫教和儒学之外，很多道教的因素也被吸纳了进来。比如玉帝、城隍等道教神祇也成为云南密宗佛教所崇拜的对象。在完成了与巫教、儒学、道教以及其他流传于云南的文化相互融合的过程之后，密宗佛教也就真正在云南立足生根了。

其实，阿吒力教在南诏获得统治地位，除了阿吒力教自身所作出的努力之外，还要考虑到当时南诏所处的历史环境。在南诏开国之前，云南地区的各个部落都有自己的独立信仰，信仰上的分散就犹如政治上的分裂一般。但是在南诏统一六诏之后，政治上的统一就要求消除这种极其分散的宗教信仰所带来的分裂和离心的可能。更何况随着南诏的实力进一步扩张，两爨之地以及中南半岛上的很多土地都被南诏所控制，因此南诏急需要通过单一的宗教加速对各部落的统一过程，也加强南诏王廷的权力，而阿吒力教刚好符合这一要求。更何况阿吒力教在经过改造之后，教义比原本的密宗佛法更加简单易行。当时的南诏，除了少数王公贵族之外文化水平总体偏低，与教义复杂、理论深奥的其他宗教和思想相比，阿吒力教更容易为人所接受。

同时，阿吒力教的兴盛，也和南诏力量壮大是分不开的，因为只有社会财富的增加，才可能供养大批不直接从事生产的僧侣，并使大众也有余暇从事宗教活动；只有掌握一定的建筑和冶金技术，才可能建造寺院佛塔，铸造佛像；只有具备了一定的文化水准，才能学习经典，理解教义。总而言之，阿吒力教满足了南诏的要求，也适应了南诏的环境，这才在南诏获得如此兴旺的发展。

与我们通常印象中的佛教相比，阿吒力教的僧伽制度有很多不同之处，比如，阿吒力教的僧侣是可以有妻子的。例如，赞陀崛多就迎娶了劝丰佑的妹妹越项公主为妻。正因为有了妻室，可以生儿育女，所以阿吒力僧可以作为一种职业世代相传，甚至在世代传承的阿吒力僧侣家族之间也流行通婚，尤其是在出自张、段、高、赵、李、董等白蛮大姓的阿吒力僧侣之间，这种现象十分常见。因此，阿吒力僧侣的传承就是一种家族式传承，既不同于汉地佛教的师徒传承，也不同于藏传佛教的转世制度。正是在这种传承方式的基础之上，诞生了阿吒力教的“坛”与“会”。所谓“坛”与“会”，是阿吒力教最基本的宗教活动单位，在今天的剑川、洱源、大理一带还有遗存。

除了阿吒力教和密宗佛教之外，大乘佛教（尤其是汉地佛教）和小乘佛教在南诏也有一定的发展。公元757年，南诏使臣张建成就曾在成都的佛寺学习佛法，并将汉地佛教的经书带回南诏，这是有文字记载的汉地佛教首次在南诏出现的记录。公元829年，南诏从成都掳走了数万人口，其中就有大量的僧人。虽然之后有数千名工匠、僧道回到了唐朝，但可以推测，有相当数量的僧人仍被留在了南诏。尤其是唐武宗时期的“会昌法难”，自公元842年到公元845年，总共拆毁寺庙约4600所，强迫僧尼26万人还俗。在此期间，大批不愿还俗的僧众，尤其是蜀地的僧侣，纷纷迁往南诏，使汉地佛教在南诏得到进一步的传播和发展。南诏后期，已经出现了信仰禅宗、华严宗、天台宗以及律宗的僧人，并建有相关寺庙。

小乘佛教主要从西双版纳地区以及中南半岛一带传入南诏，比如骠国就是信仰小乘佛教的。另外，从吐蕃传入的藏传佛教在南诏也有活动的痕迹。

在南诏，佛教空前繁盛。劝龙晟在位时，就曾经用3000两黄金铸造了三尊佛像，供奉在佛顶寺。但这与劝丰佑相比几乎不值得一提。劝丰佑时期修建的三塔寺供奉佛像1.14万尊，占屋890间，用铜4万斤。修建崇圣寺及千寻塔共征发役匠770万人，所用金银布帛值金4万斤，费时8年，此外还建了东寺塔、西寺塔、罗次寺，并用银5000斤铸佛。

南诏王族成员也多有信奉佛法之人。劝丰佑的母亲就舍身出家，法名慧海。南诏王世隆也笃信佛教。当时唐朝多次向南诏派遣使节，但世隆不肯下拜。之后，唐朝派遣僧人和使者一同前往南诏，世隆却亲自下拜迎接，并顺利地签订了盟约。世隆之母段氏信佛，修建了景净寺，即今天四川西昌白塔寺。而世隆本人更是修建了800座被称为“蓝若”的大寺，和3000座被称为“迦蓝”的小寺。虽然所谓“800”、“3000”之数应该是夸张，但当时寺庙之盛也可见一斑。隆舜更是如此，不仅大量铸造阿嵯耶观音、文殊、普贤的金像，甚至率领着几乎全部王室成员皈依佛教，他还劝所有的臣民信仰佛教，在家中设佛堂，供奉佛像，诵佛经，念佛号，并且下令规定每年的正月、五月、九月南诏全国持斋，禁止杀生。

在南诏时期，佛教的传播如此广泛，几乎成了遍及全民的信仰，所以苍山洱海之间也就成为了人们口中的“佛教之齐鲁”。

与佛教不同，道教是中国人自己创立的本土宗教。道教将老子奉为祖师，但实际上直到东汉时期，道教才真正作为一个制度化的宗教出现。所谓制度化宗教，指的是有自己的神学体系、仪式、组织，且独立于其他世俗社会组织之外的宗教。

东汉中后期张道陵所创立的五斗米道是在四川创立并发展壮大的，四川与云南在地理位置上相处极近，所以云南很早就受到了道教的影响。五斗米道早期设立的二十四个负责传教的“治”，其中有二治已延伸至今天云南省境内，因此，道教很可能在创立后不久就开始了在云南境内的活动。东汉时期的道士杨波远、孟优等都留下了在云南地区活动的记录。两爨统治时期，相当一部分属于两爨的部落也都信奉五斗米道。

南诏初期，一方面由于该地区原本受道教影响颇深，另一方面因李唐皇室以老子为祖，崇信道教，所以在当时的南诏，道教的地位十分重要，甚至在很长一段时间内成为南诏上层的主要信仰。盛罗皮曾于公元725年立庙，将王羲之作为圣人供奉，究其原因，则是王羲之信奉道教。值得一提的是，保留至今的南诏时期的文书经卷上的文字书法水平普遍较高，很可能就与对王羲之的崇拜有关。

公元794年，唐剑南西川节度使巡官崔佐至云南，与异牟寻在点苍山会盟，当时盟誓的誓词为：

贞元十年，岁次甲戌，正月乙亥朔，五日己卯，云南诏异牟寻及清平官、大将军与剑南西川节度使巡官崔佐时谨诣玷苍山北，上请天、地、水三官，五岳、四渎及管川谷诸神灵同请降监，永为证据。其誓文一本请剑南节度使随表进献；一本藏于神室；一本投西洱河；一本牟寻留诏城内府库，贻诫子孙。伏惟山川神祇，同鉴诚恳！

所谓天、地、水三官，是早期五斗米道所崇奉的最高神祇，在如此重要的场合举行道教仪式，道教在南诏的地位也就不言而喻了。

与其他宗教一样，对道教的信仰影响到了南诏社会的各个领域。南诏音乐舞蹈的代表作品《南诏奉圣乐》之中就包含了很多道教的因素。比如在方位排列和象征上就暗含了五行方位的意义，而且无论是演员的人数、乐器的种类、曲目的数量，各种数字都符合五行、八卦的理念。如果我们将《南诏奉圣乐》的每一个细节都加以仔细分析，就会发现，整支乐舞处处蕴含着道教的文化因素。这也正是道教一度在南诏颇具影响的证据。

然而，随着佛教在南诏逐步取得支配地位，道教的势力日益衰微。公元835年，劝丰佑宣布废道教，改尊佛教，但道教并没有就此退出南诏。在劝丰佑崇佛废道之后，南诏统治核心地带的道观日益减少，但越到外围地区道观越多。公元872年，南诏王世隆曾在诸葛武侯所立铁柱之地铸天尊柱。“天尊”，也应当是道教神祇的名称。由此看来，直到南诏末期，南诏统治者受道教影响仍然很深。不过从整个南诏的历史来看，道教的势力并不足以与巫教和佛教相抗衡。

除以上所述外，在南诏还有一些其他的宗教。一个很有意思的事实是，在南诏有着景教活动的痕迹。景教即基督教的聂斯托里派，形成于公元5世纪，因主张基督具有并不统一的神人二性，违背“三位一体”的正统教义，而被视为异端。公元7世纪，景教传入中国。因为景教诞生于东罗马帝国，中国古代称罗马帝国为“大秦”，所以景教徒在当时被称为“大秦僧”。唐朝时，成都就曾建有一座大秦寺。公元829年，南诏蒙嵯颠曾率兵攻入成都，除珍宝外，还掠夺了数万人口，其中就有一个大秦僧。现在，学术界普遍认为，景教在唐末就已经传入云南了。

另外，部分学者根据文献中的一些蛛丝马迹，以及1990年出土于巍山寺遗址的一尊神像，认为当时的南诏可能存在婆罗门教信仰。不过目前支持这种说法的证据尚不充分。

在南诏统治时期，云南土地上曾经存在着多种宗教信仰，这些宗教和思想既相互争夺，又相互吸收融合，呈现出异彩纷呈的局面。究其原因，一是因为南诏在地理位置上位于唐朝、吐蕃、印度以及东南亚的交会处，容易受到来自各方面的文化影响；二是南诏恰好与唐朝处于同一年代，尤其是在其建国时期，适逢大唐盛世，唐朝文化素来以多元开放、兼容并包而著称，这一方面为南诏了解各种宗教思想文化提供了机会，另一方面也影响了南诏人的观念，对各种宗教采取了宽容的政策。这样，才使得南诏的宗教状况呈现出丰富多彩的局面，也为中华文化增添了宝贵的财富。

第五章
终结：与大唐相始终

大唐贞元十年（公元794年），唐剑南节度使韦皋派巡官崔佐来到南诏首府阳苴咩城，与当时的南诏王异牟寻之子寻阁劝以及南诏的清平官们，于洱海之滨的苍山会盟，在与唐朝持续了四十多年的敌对关系之后，南诏重新归附唐王朝。

南诏随后袭击了吐蕃的神川都督府，夺取铁桥等16城、虏其5王，降众十余万人，打掉了吐蕃设在南诏南北部的军事重镇。然后异牟寻遣使朝见唐德宗，献上南诏的地图，以及吐蕃给南诏王的金印。在此之后，南诏与唐朝保持了半个世纪的和平友好关系，双方间形成对付吐蕃的同盟，唐朝在西南边疆的统治稳固地确立起来。

也是在此后的半个世纪里，不论是南诏，还是唐朝和吐蕃，内部都经历了一系列的变化，几乎是同步兴起的这几个政权，又几乎同步地衰落下去。

少年执政：繁华外表掩盖下的衰亡之势

唐朝与南诏重新结盟以后，剑南节度使韦皋主动取消了南诏派王子去唐朝首都做人质的旧制，而是在成都创办了供南诏王室及贵族子弟入学的学校。这是一项极其高明的政策，一方面，可以通过向王室及贵族子弟进行汉式教育，在南诏贵族阶层中培养起亲唐的势力，并向南诏传播中原文化；另一方面，这些贵族子弟在成都学习，同样可以起到人质的作用。

不知道异牟寻是否识破了韦皋的用意，总之异牟寻表现得非常配合，他在南诏国内大力提倡贵族子弟前往成都接受汉式教育。除去政治方面的意义，这一举措对于南诏吸收中原文化促进南诏文化的发展，发挥了明显的积极作用。

异牟寻的配合换得了唐朝对南诏的更大支持。出于对付吐蕃的需要，唐王朝积极加强南诏的军事实力，甚至派出工匠去教南诏制造优质的盔甲与弓弩。但是，我们应该注意到一个细节，唐朝在此后给南诏历代国王的封号都是“南诏王”，唐朝曾经封给皮罗阁、阁罗凤的封号“云南王”，再也没有出现在此后历代南诏王的册封中。显然，唐朝仅仅承认这些首领是南诏之王，不承认他们拥有控制全部云南的权力。通过这一微妙的变化，可以推测，也许在唐朝高层，始终存在对南诏的防范心理。所谓“一朝被蛇咬，十年怕井绳”，毕竟南诏国曾经的背叛，给唐朝带来了太过巨大的伤痛。

但总体来说，在半个世纪里，唐与南诏的关系还是比较和谐的。

在唐王朝的支持下，南诏迎来了一个新的开疆拓土的时代。首先，南诏向西北进攻吐蕃，攻下了剑川以及今天的鹤庆、丽江等地。这一战还具有特别的意义，南诏俘虏了原浪穹诏之主的后裔矣罗君、原邓赕诏之主的后裔颠之托，并将两诏的残部全都迁至永昌一带，可以说，是彻底清除了六诏的残余势力。吐蕃的势力退缩，南诏还俘虏了一些当地部族的首领，并把一些部族迁往南诏控制更为严密的地区。南诏的势力向今云南西北部挺进，并逐渐在当地建立起自己的统治。

在进一步稳定了内部的统治之后，南诏又把矛头对准了其西南部，大力开发今西双版纳及其附近地区。与此同时，南诏又联合唐军，合力进攻吐蕃，将其势力推进到今天四川的西南部地区。南诏的版图至此达到极盛。

也有学者认为，在9世纪的上半叶，南诏还曾向中印半岛进攻。如，在公元832年，进攻了在今缅甸中部地区的古代骠国；几年以后，又进攻了在今缅甸亲敦江流域的弥诺国和在今缅甸南部伊洛瓦底江入海口一带的弥臣国。另一些位于今中印半岛的古代小国，如在今中印半岛南部的昆仑国，在今老挝川扩、桑怒地区的女王国，以及在今柬埔寨的真腊国，也都曾受到南诏的进攻。但是，对于这些记载，也有很多学者是持怀疑态度的。

根据《新唐书·南诏传》的记载，南诏极盛时的疆域，北至于今云南省维西县以北，东北达到大渡河畔，东至今云南、贵州两省之间，西抵缅甸境内的亲敦江，南部当已伸入缅甸的东部以及老挝和泰国的境内。

南诏强盛时以羊苴咩城为都，其地在今云南大理县。别都设在阐鄯府，为今云南昆明市。

南诏于其境内分设节度、都督和睑。节度、都督之称毫无疑问是从唐朝学来的，睑才是当地土语，实际上就是州的意思。南诏盛时，共有六节度、二都督和十睑。六节度为弄栋、永昌、银生、剑川、拓东、丽水。两都督为会川、通海。十睑为云南、白涯（亦称勃弄）、品澹、登川、蒙舍、大厘（亦称史睑）、苴咩（亦称阳睑）、蒙秦、矣和、赵川。都城羊苴咩周围自成一个区域，不隶属于节度或都督。弄栋节度治所在今云南姚安县，永昌节度治所在今云南保山县，银生节度治所在今云南景东县，剑川节度治所在今云南剑川县，拓东节度治所在今云南昆明市，丽水节度治所在今缅甸密支那南恩梅开江畔，会川都督治所在今四川会理县，通海都督治所在今云南通海县。

南诏前期的都城在太和城，公元779年，异牟寻迁都至羊苴咩城。

羊苴咩城位于大理苍山中和峰下，在今大理古城及其以西地区。该城原为“河蛮”所筑，异牟寻迁都时重新加以修筑。此后，该城一直是南诏的都城。至公元937年段氏得国，改国号为大理，羊苴咩城也在此时更名为大理城，仍旧作为大理国的都城。直至元朝至元十一年（1274年）建云南行省，将政治中心由大理迁至中庆（今昆明），羊苴咩城才结束了为时近五百年的国都历史。

明洪武十五年（1382年），明将沐英攻下大理后，在羊苴咩城的基础上修建了今大理古城，旧城废弃，渐被掩埋。今大理古城以北500米桃溪南岸，残存城墙遗址一道。残墙基宽8—10米，高2—4米，大部分为夯土筑成，部分用砖砌垒。南诏国的往事早已经消失在长草衰烟之中了。

皮罗阁、阁罗凤至异牟寻统治期间，南诏国达到了极盛。

随着南诏国力的强盛和疆域的稳定，在南诏国内，在洱海地区，开始出现了一个新的稳定的民族共同体，即后代的白族。此时的白族已经有自己的语言文字，有自己共同的宗教信仰——本主及阿吒力佛教，也有自己的分布区域，即以洱海为中心的南诏首府区，包括阳赕、太和、史赕、邓川、赵州、勃弄、云南、蒙舍、蒙秦、矣和等十赕区。因此，学者一般认为，当代的白族起源于南诏时代。

公元808年，异牟寻去世，子寻阁劝立。可是，寻阁劝在位仅一年就去世了，年仅31岁。但是，值得一提的是，学者们研究发现，正是在寻阁劝在位期间，南诏朝廷采用了“骠信”这个新的头衔。骠信是一个缅甸名称，其意思是“骠国之王”。南诏的统治者采用这个称号，说明当时南诏的统治已经扩展至当时的骠国，也就是今天的上缅甸，这一地区从公元7世纪末期开始就在骠人的统治之下。

实际上，骠人对南诏的臣服应该可以追溯到阁罗凤在位时期，也就是8世纪中叶，此后，在异牟寻的统治下，南诏对骠国的控制力逐步增强。公元802年，骠国就曾经派出一个使团随南诏的使团抵达唐朝的首都长安，骠国使团在唐朝宫廷表演的音乐，与南诏乐舞一样引起了轰动。大诗人白居易曾有一首诗名字就叫《骠国乐》：

骠国乐，骠国乐，出自大海西南角。雍羌之子舒难陀，来献南音奉正朔。德宗立仗御紫庭，黈纩不塞为尔听。玉螺一吹椎髻耸，铜鼓千击文身踊。珠缨炫转星宿摇，花鬘斗薮龙蛇动。曲终王子启圣人，臣父愿为唐外臣。左右欢呼何翕习，至尊德广之所及。须臾百辟诣阁门，俯伏拜表贺至尊。伏见骠人献新乐，请书国史传子孙。时有击壤老农父，暗测君心闲独语。闻君政化甚圣明，欲感人心致太平。感人在近不在远，太平由实非由声。观身理国国可济，君如心兮民如体。体生疾苦心憯凄，民得和平君恺悌。贞元之民若未安，骠乐虽闻君不叹。贞元之民苟无病，骠乐不来君亦圣。骠乐骠乐徒喧喧，不如闻此刍荛言。

估计是在寻阁劝继位时，在阁罗凤、异牟寻两代持续经营的基础上，南诏对骠国的统治已经相当牢固，所以才给南诏王上尊号“骠信”以夸功，但这一事业似乎不可能是寻阁劝完成的，毕竟他在位仅仅一年多。

此后，可能是在公元809年，寻阁劝之子劝龙晟成为南诏王，这一年他才只有15岁。劝龙晟在位时间虽然不算长，只有7年，但却在史籍中留下了荒淫无道的恶名，这是很令人奇怪的事情。因为劝龙晟是被当时南诏一个颇有势力的节度使王嵯巅杀死的，所以劝龙晟无道昏君的恶名，很可能是弑君者为开脱自己的罪责而有意编造出来的。不论事实是否如此，有一点可以肯定，此时南诏统治集团内部的派系斗争已经相当激烈了，连南诏王都可能在宫廷的争权夺利斗争中被杀。

公元816年，劝龙晟之弟劝利晟继位，也只有16岁，在位8年。支持他登基的正是杀死前任君主的那位节度使王嵯巅，这是很耐人寻味的事情。

王嵯巅由此被任命为清平官，并被赐予王室的姓氏“蒙”，以及“大容”的称号，意思是国王的兄长。即位以后的南诏王劝利晟手上并没有权力，事实上王嵯巅掌控南诏朝政的时间很可能一直到公元819年年底。据说劝利晟最终成功地夺回了原本就属于自己的权力，却并未对王嵯巅严加惩处，仅仅是解除了他的职务，以至于在很多年以后，王嵯巅仍旧是南诏政治和军事史上最突出与最有权势的人物之一。

对于王嵯巅的结局，野史中另有一种说法。

狮子国侵略缅甸，缅甸向南诏求救，南诏派宗榜率部队赴援。宗榜为人勇敢但却贪婪，他暗中与缅甸约定，如果他成功地驱逐了敌人，解除了狮子国对缅甸的威胁，缅甸方面要重重地酬劳他。在缅甸作出应有的承诺之后，宗榜大举进兵，一战成功，全歼狮子国的军队。缅甸送给宗榜巨大的纯金佛像。

当宗榜率部队回到腾越的时候，才得到王嵯巅弑君的消息。宗榜给王嵯巅去信称："闻公摄位，国家之福。我救缅甸，缅酬金佛。本国无人，惟公与我。回日可亲迎佛，与国争光。"王嵯巅不知是计，真的在宗榜班师时亲自出城迎接。宗榜请王嵯巅向他带来的金佛像叩拜，并乘机杀死了他。

不论劝利晟是否夺回了属于他的权力，反正在公元824年，劝利晟去世了，由他的另一个兄弟劝丰佑继位，当时也仅有16岁。

劝丰佑可能是南诏的历代君主中最仰慕中国文化的，他甚至不愿意再遵照南诏乌蛮人的父子连名制习俗，而直接称自己为丰佑，或者再加上姓氏，称蒙丰佑。劝丰佑也非常欣赏唐朝的文明与技术，对南诏吸纳盛唐文明起到了推动作用。

从现存的史料来看，劝丰佑似乎是一个善于运用权力的君主，他在位的时间也比较长，但是，直到他去世的公元859年，在此期间，南诏国内一直动乱不断。

自异牟寻以后，南诏国内权力交接频繁，寻阁劝在位仅一年，而其后继位的劝龙晟、劝利晟、劝丰佑兄弟，刚登上南诏的王位时，都是十五六岁的少年，这对南诏的发展显然是存在负面影响的。在异牟寻以后，南诏虽然表面上还保持着繁华的景象，实际上已经不可挽回地走向了衰亡之路。

也许正是由于这个原因，在公元9世纪的上半叶，南诏与唐朝间的关系一直是友好的、稳定的。几乎每年都会有一个南诏使团赴唐朝的首都长安朝贡，这种与唐朝间的频繁接触一直保持到公元9世纪的30年代以后，小规模的接触甚至持续到公元9世纪40年代以后。

在此期间，唐朝也给予南诏国以特殊的待遇。公元838年以请益僧的身份随最后一批遣唐使来中国求法的日本僧人圆仁，在他撰写的《入唐求法巡礼行记》中提到，在公元839年，有5个使团同时朝见唐朝的皇帝，而在晋见的位次上，南诏排在第一位，唐朝给予南诏的地位是日本使团远远无法相比的。

其实，圆仁提到的事情还不是最特殊的礼遇。在公元809年南诏王寻阁劝去世和公元816年南诏王劝龙晟去世时，唐朝都废朝三日以示哀悼，以这种礼仪对待一个属国的君主，在当时是十分罕见的。

南诏在表面的繁华掩盖之下走向衰落，吐蕃在内乱不止中走向衰落，而唐朝则在安史之乱后就再未能真正地恢复元气，涉及中国西南边疆的三大势力同步走向衰落，根本无力再进行争夺，也许这才是公元9世纪上半叶西南地区能够保持和平稳定的重要原因之一。

进入公元9世纪以后，吐蕃开始由盛转衰。公元821年，吐蕃可黎可足赞普派专使到唐朝请求会盟，此后吐蕃与唐朝先后在唐都长安和逻些举行了会盟，要永远友好相处。公元823年，在拉萨建立的唐蕃会盟碑，至今还屹立在大昭寺前。实际上，在友好的口号后面，我们可以发现吐蕃实力的衰弱。统治集团的内战割据以及民众的起义，成为吐蕃无法克服的两大顽疾。公元843年，论恐热率兵20万进攻鄯州（今青海乐都）守将没卢氏尚婢婢，在此之后，整个河西、陇右的吐蕃边将都卷入了这场混战，战乱时间长达二十余年。与此同时，吐蕃各地的民众起义不断。吐蕃政权就在这两大顽疾的夹击下病入膏肓。

公元848年，沙州（今甘肃敦煌）人张议潮发动反抗吐蕃统治的起义，唐人群起响应，很快占领了沙州。接着，张议潮又派兵攻取瓜、伊、西、甘、肃、兰、鄯、河、岷、廓（以上地区在今甘肃、新疆、青海境内）等十州。公元851年，张议潮遣其兄张议潭奉沙、瓜等十一州地图入朝，唐宣宗在沙州置归义军，以张议潮为节度使，河陇地区又重新为唐朝所控制。虽然唐朝与吐蕃同在衰落中，但两者相比较，似乎唐朝的优势越来越明显。吐蕃政权明显已经垮下去了，南诏自然不可能在这种时候再考虑与吐蕃合作，因此，南诏对唐朝友好，似乎也是南诏统治者唯一的选择。

再起干戈：南诏闪电进攻西川

在公元9世纪上半叶，和平友好是南诏与唐朝关系的主流，当然，摩擦与冲突也不是没有的。公元829年，南诏在刚刚向唐朝首都长安派出一个使团之后，就突然大举进攻西川。

南诏对西川的这次进攻既显得突然，又显得莫名其妙。

说突然，是因为事先没有任何征兆，史书中查不到在此前南诏与唐朝关系紧张的记载，也查不到有什么可以视为此次战争导火线的事件发生。就在向西川发动进攻的同时，南诏还向长安派出了朝贡使团。

说莫名其妙，南诏此次对西川的进攻，前后也没有持续两个月，在唐朝的救援部队赶到之前，南诏就已经撤兵了，并在此后主动上表请罪。南诏发动这样一次短暂的袭击究竟目的何在？难道南诏不担心由此引来唐王朝的报复吗？尽管唐王朝已经走向衰落，但其国力仍旧是偏安于一隅的南诏所无法抗衡的，南诏就不怕由此引来灭顶之灾吗？如果我们思考到上述种种问题，就会觉得南诏发动的这次战争非常莫名其妙。

南诏发动战争的原因究竟是什么呢？

南诏方面指挥这场战争的统帅就是我们前面提到过的南诏权臣王嵯巅，当面对唐朝方面的斥责和诘问时，他声称，南诏的入侵，主要是因为西川节度使杜元颖部下的士兵经常越境骚扰南诏的领土，为了维护自身的利益，南诏才兴兵报复的。用王嵯巅的原话来讲：“杜元颖不恤三军，令入蛮疆做贼；移文报彼，都不见信。故蜀部军人，继为乡导，盖蜀人怨苦之深，祈我此行，诛虐帅也。”王嵯巅称，此前南诏方面曾经多次将唐朝西川士兵骚扰南诏的情况向唐朝方面作了汇报，但唐朝的地方官员甚至都不相信南诏的汇报属实，就更不用说处理了。王嵯巅甚至声称，杜元颖待部下特别刻薄，他是应唐军士兵的邀请，来为他们除去暴虐的统帅的。

杜元颖部下的士兵经常越境骚扰当是事实。

唐肃宗至德二年（公元757年），唐朝将原剑南道分为剑南西道和剑南东道，分别设立剑南西川节度使和剑南东川节度使进行管辖，简称西川、东川。剑南西川节度使驻成都，剑南东川节度使驻梓州（今四川三元）。剑南西川节度使的辖区与南诏接境。

杜元颖为唐太宗时的名相杜如晦的五世孙。靠着家世和文采，更靠着皇帝的宠信，在唐穆宗时，杜元颖得到火箭式的升迁，由从七品的右补阙一职，在穆宗继位的当年升任正四品的户部侍郎，在第二年的三月，就令人震惊地荣任宰相了。连史书作者在对杜元颖的升迁经历进行记载的时候，也忍不住加了一句评论，说文臣讲晋升之快，还没有人能够与杜元颖相比的。但是，在公元823年，失去皇帝宠信的杜元颖，终于由宰相的高位跌落，被外派为剑南西川节度使。

杜元颖文臣出身，不懂治军；由中央的一个从七品的职位坐火箭直接升至宰相，没有基层工作经验；又急于回到中央的权力中心，因而无所不用其极。可以想见，杜元颖主政西川，不论是对四川地方而言，还是就南诏与唐朝的关系来说，其结果都是灾难性的。对于杜元颖来说，最急迫、最重要的工作就是尽可能地搜刮地方，向皇帝进献各种西南奇珍异宝，以期得到皇帝的宠信，将他调回朝中任职，至少也能使皇帝不至于忘了他。

最为丧心病狂的是，杜元颖的搜刮不仅面向四川地方、面向南诏等属国属部，还面向西川驻军。

公元9世纪初，由于吐蕃的逐渐衰落，南诏与唐朝的关系又是和平而稳定的，西南边境地区呈现出难得的长时期和平，在这样的背景下，从未经历战争的杜元颖来到西川，自然是不会做任何战备工作的，而且，为了敛财，他拼命地克扣军饷——杜元颖不认为，在这样一个和平年代里，部队还具有什么重要作用！

在杜元颖的克扣下，戍边士兵甚至食不果腹。忍饥挨饿的唐军士兵不得不越境到南诏去抢掠，为的只是多吃几顿饱饭。王嵯巅称南诏方面多次向唐朝官员上报此问题，是否属实不清楚，但我们在史书中却可以查到南诏方面免费向饥饿的唐军士兵提供食物的记载。这究竟是为了换取边境地区的和平，还是另有其他目的，就是一个见仁见智的问题了。从南诏后来进攻西川时有蜀兵为向导来看，恐怕后一种可能性更大。

杜元颖的士兵越境骚扰情况属实，但这真的是南诏发动战争的主要原因吗？我们不难想象，南诏有多种方法可以解决唐朝士兵越境骚扰问题，而诉诸武力无疑是最下策，可能引发的后果绝不是南诏所能承受得起的。

从王嵯巅公开指责杜元颖不恤三军来看，南诏好像主要是针对杜元颖。从事后的结果来看，杜元颖也是最为倒霉的，他被唐朝皇帝流放到循州（今广东惠州）任司马，而且不久后就死在流放地。南诏此次军事行动，如果从结果来看，似乎只是想除掉西川节度使杜元颖。

此时唐朝官场的党派斗争正趋于激化，以牛僧孺为首的“牛党”和以李德裕为首的“李党”，正斗得不亦乐乎。杜元颖属于李党，而且，从后来李德裕对此事的善后处理来看，李德裕也是千方百计想要保全杜元颖，由此可以看出，此事背后的党派斗争的影子。是不是南诏已经卷入了唐朝内部的党派斗争，并充当了党同伐异的工具？这恐怕是难以解答的历史之谜了。

在杜元颖治理下的西川，防务空虚，战备不足，部队几乎没有战斗力，对此，杜元颖显然是难辞其咎的。

由于唐军没有作好战争的准备，南诏的部队如入无人之境，进展非常迅速。大约是在公元829年十二月的头十天，南诏已经攻克了嶲州，顺利地拿下青溪关，而后分兵两路，一路进攻邛州（治所在今四川省邛崃市），一路进攻戎州（治所在今四川省宜宾市西南），一时间，西川首府成都与东川首府梓州同时受到威胁，两川震动。

就在这一年的十二月三十日，唐朝任命东川节度使郭钊取代杜元颖为西川节度使，同时仍兼领东川节度使，由他开始组织对西川的救援和对南诏的战争。

郭钊是公元8世纪唐朝名将郭子仪的孙子，郭家与唐朝皇室联姻，郭钊的父亲、郭子仪的第六子郭暧，娶了唐代宗的女儿升平公主，郭钊的妹妹嫁给了唐宪宗，她生的皇子后来继位，就是唐穆宗，而在公元829年南诏进攻西川时，在位的唐文宗是唐穆宗的第二子。

有一出名戏《打金枝》，说的是汾阳王郭子仪花甲寿辰，子、婿纷纷前往拜寿，唯独升平公主不往，引起议论，郭暧怒而回宫，打了公主。公主向父母哭诉，郭子仪绑子上殿请罪，唐代宗明事理、顾大局，加封郭暧，皇后则劝婿责女，使小夫妻消除嫌隙，和好如初。这出戏的主人公，就是郭暧和升平公主，也就是我们现在提到的东川节度使郭钊的父母。

郭氏与皇室的姻亲关系我们可以图示如下。

唐代宗—升平公主 ┐（子）郭钊
郭子仪—郭暧 ┘（女）懿安皇后 ┐
唐宪宗 ┘ 唐穆宗—唐文宗

也就是说，这个郭钊，不仅是名将之孙，还是当朝皇帝唐文宗的老舅爷。名将之后加上外戚的身份，就当时的形势而言，一时还真找不到比郭钊更适合的统兵人员，何况郭钊当时任东川节度使，离战场也最近。

郭钊率东川的部队前往救援，与此同时，唐朝至少从六个地区征集军队和粮食，各路援军匆匆赶赴西川。

当时，南诏的军队已经包围了西川的首府成都，在公元830年的正月里，南诏的部队甚至攻占了成都的西城墙，并占领了西郊部分地区，南诏的部队在这里掠夺达10天之久。尽管形势似乎不容乐观，但是对当地情况比较了解的郭钊还是认为，事态并未发展至不可控制的局面，双方间不是没有和平的可能，因此他给南诏部队的统领王嵯巅去信，责备南诏违背了唐与南诏间的和平协议。

尽管王嵯巅的回信中为南诏辩解，但是也明显透露出希望和平的愿望，于是，在郭钊到达成都后，双方很快进行了谈判，并顺利地达成了协议。唐朝的各路援军还没有全部赶到西川之时，南诏的部队就已经主动撤出了西川。

当然，掠夺还是不可避免的。公元830年的正月十九日，南诏的部队从成都撤走时，不仅带着掠夺来的大量财物，还掳掠了大量的工匠。当时诗人陶雍曾写过题为《哀蜀人为南蛮俘虏五章》的一组诗歌，正是对当时惨状的真实写照。

别巂州

越巂城南无汉地，伤心从此便为蛮。冤声一恸悲风起，云暗青天日下山。

出青溪

欲出乡关行步迟，此生无复却回时。千冤万恨何人见，唯有空山鸟兽知。

初出成都闻哭声

但见城池还汉将，岂知佳丽属蛮兵。锦江南度遥闻哭，尽是离家别国声。

过大渡河蛮使许之泣

大渡河边蛮亦愁，汉人将渡尽回头。此中剩寄思乡泪，南去应无水北流。

入蛮界不许有悲泣之声

云南路出陷河西，毒草长青瘴色低。渐近蛮城谁敢哭，一时收泪羡猿啼。

传说，在南诏的部队即将渡过今大渡河时，王嵯巅下令给押回来的俘虏："过了河就进入我国境内了，在此任你们哭别乡土。"数万俘虏齐声痛哭，在一片哭声中投河自尽的达千余人。

南诏此次对西川的进攻，时间虽然短，前后不足两个月，但是对西川社会经济所造成的破坏却是极其严重的，以致此后几任节度使都未能使西川的经济恢复到先前的水平，甚至在半个世纪以后，还有人指出，南诏这次入侵对西川造成的损失仍旧未能完全恢复。

南诏的部队刚刚退走，郭钊就因病申请离职，从其第二年病逝来看，此时郭钊的身体状况已经极差了。西川节度使杜元颖刚被流放，东川节度使郭钊又辞职回京，四川战后一片狼藉，恢复重建工作千头万绪，急需一位重臣坐镇。就是在这样的背景下，李德裕被派到了西川。

李德裕与其父李吉甫都是晚唐名相。公元830年十月被派到西川之后，他的应变能力与行政才能得到充分的体现，在非常短的时间里，他就完成了整顿边防、整肃部队、修备武器等一系列工作，使西川的防务为之改观。公元831年七月，李德裕遣使南诏，要求南诏送还掠去的人口，南诏很快就送回了四千多人。尽管这不是南诏掳掠去的人口的全部，但南诏能对李德裕的要求迅速作出回应，足见南诏很清楚李德裕整顿西川军政的成效，因而不愿意得罪李德裕，给他以讨伐南诏的借口。

公元831年以后，唐与南诏的关系又恢复到了和平状态，直到公元859年唐朝与南诏的关系再一次破裂。

公元859年唐与南诏关系破裂的导火线有一点匪夷所思。就在这一年，南诏王劝丰佑去世，他的儿子世隆继位，唐朝拒绝对世隆进行册封，因为他的名字中的“世”字犯了唐太宗李世民的讳。世隆对此感到非常气愤，由此开始自称皇帝，不再奉唐正朔，并改国号为大礼国，正式与唐朝决裂。

因为这样一件小事最终竟导致了两国的决裂，这是令人难以置信的。首先，犯皇帝名讳的事情在古代并不是什么新鲜事，也有解决这一问题的先例，就是世隆在接受唐朝册封时临时地改一个名字，而后在与唐朝官方往来时使用这一新的名字，而在南诏国内，他愿意叫什么，唐朝也不会过多地干涉。我们不理解，为什么世隆不能采取这种已成惯例的简单方法化解这一矛盾，却最终选择坚持自己的名字而导致两国决裂。

其次，更令人难以理解的是“世隆”这个名字本身。按着南诏历代王的父子连名制，世隆名字的第一个字应该是他父亲名字劝丰佑的最后一个字，即“佑”字，而不是“世”字，换句话说，他本应该叫“佑隆”，而不是叫“世隆”。我们应该注意到，在他之前的南诏历代国王的名字，都符合父子连名制的规律，世隆之后的南诏王分别是隆舜、舜化贞，也符合父子连名制的规律，恰恰是也仅仅是这个因名字引发与唐朝矛盾的世隆，不符合父子连名制的规律。这难道只是巧合？

在后代的文献中，世隆也写作“酋龙”，看来他还真的有其他的名字。那么，就这个“世”字与唐朝纠缠，甚至闹到决裂，显然就是世隆借题发挥、有意为之了。

真正导致唐朝与南诏决裂的原因，很可能是双方在安南的争夺。

唐朝的安南都护府始设于公元679年，属岭南道。辖境北抵今云南南盘江，南抵越南河静、广平省界，东有广西那坡、靖西和龙州、宁明、防城部分地区，西界在越南红河黑水之间。治所在宋平（今越南河内）。

早在公元846年前后，南诏的势力就向安南一带渗透，并与唐朝在安南有过小规模的摩擦。由于唐安南都护李琢的贪婪残暴导致当地各族对唐朝统治的不满，在南诏的招诱下，驻防安南西北边境的七绾洞蛮首领李由独倒向了南诏。南诏的拓东节度使与李由独保持书信联系，并将外甥女嫁给李由独的儿子，封李由独为拓东押牙。

南诏早在公元8世纪中叶就已经控制了今云南东部地区，为巩固在当地的统治而建立了拓东城，后来更名为阐鄯，成为南诏的东都，而拓东节度使一直是南诏六节度使之一，仅由此名称我们就可以看出南诏向东发展的愿望。李由独的投靠，为南诏打开了出入安南的大门。

公元857年，安南地区发生了骚乱，南诏乘机出兵，只是由于安南都护王式已经作好了充分的战争准备，南诏的军队才无功而返。在此之后，南诏与唐朝的关系已经相当紧张了。我们不知道是否出于对南诏出兵安南的惩罚，公元859年，时任西川节度使的杜悰向朝廷建议削减南诏赴长安使团的人数，同时也压缩在成都的南诏学生的人数。当时的南诏王劝丰佑对此作出激烈反应，他将在唐朝学习的南诏学生全部召回，这一年南诏的朝贡使团也没有去唐朝的首都长安，而是将表文留在唐朝的边镇巂州就返回南诏了。

由此我们可以发现，世隆继位后与唐朝的决裂，是上述事态发展的必然结果，所谓避讳问题不过是借口。

世隆改国号、称皇帝，表现出与唐朝分庭抗礼的姿态，也显示着要与唐朝在安南放手一搏。在此之后，南诏出兵进攻唐朝的播州（今贵州遵义），又进犯安南，大掠河内，在从安南撤兵之际，又攻克了唐邕州（今广西南宁）。南诏占领邕州虽然仅有20天左右，但南诏军队的劫掠使邕州变成了一片废墟。

就在南诏的军队四处杀掠，岭南道皆为之震动的时候，曾经建议削减南诏赴长安使团人数的李悰回朝任职，并成为宰相之一，他竟然建议遣使向世隆解释唐朝未曾册封他的原因，是他的名字犯了唐太宗的讳，希望世隆可以改改名字，那么朝廷也就可以对他正式册封了。这种建议表现出，唐朝方面不愿意继续与南诏的敌对状态，宁可不追究南诏大掠安南、邕州等地的责任，而以重新册封恢复与南诏的和平友好关系。我们由此也可以看出，唐朝决策层直到此时尚未认识到南诏与唐朝决裂的真正原因，作为宰相之一的李悰，竟然对西南边疆的形势判断如此失误。

就在唐朝方面即将遣使的时候，传来南诏进攻西川的消息，南诏的部队已经攻陷了巂州并推进到邛崃关，于是，李悰的建议也只好永久搁置了。

唐朝将湖南观察使蔡袭调任安南经略使，并由北方调动3万部队随蔡袭进驻安南，唐朝开始认真对待南诏对安南的侵扰了。但就在此时，唐朝再一次出现了决策失误。

据说是接受了一位名叫蔡京的官员的建议，唐朝决定将岭南道一分为二，在广州设岭南东道，在邕州设岭南西道。蔡京被任命为岭南西道的节度使，安南隶属于岭南西道。蔡京为大权独揽，竟然建议朝廷撤蔡袭及其所属部队北返。但在此后，由于他的残暴统治，蔡京受到属下的驱逐，被朝廷贬职到海南，最后被勒令自尽了。

蔡京死不足惜，但经他这么一折腾，安南防卫空虚，使南诏感觉有机可乘。在公元862年冬至公元863年，南诏派出一支5万人的部队再次进攻安南。有大量当地部族随同南诏的部队围攻河内，结果是河内再次被南诏攻陷，蔡袭及其家人、随从大多被杀，只有他的一个幕僚樊绰带着蔡袭的官印侥幸逃脱。这一战给樊绰留下了深刻的印象，为了给执政者提供相关信息，他把自己所了解到的有关南诏的情况写成了一部书，这就是非常著名的《蛮书》。

南诏两次攻陷安南，杀死和俘虏的唐朝军队总数达15万之多。这一次，南诏似乎是想要长期占领安南，也许吸引他们的主要是南海贸易所带来的财富，毕竟河内是南海贸易的主要港口。唐朝军队后撤，以保卫岭南道的西北部地区，甚至在公元863年的夏天，唐朝宣布撤销安南都护府。

南诏将领杨思缙率兵2万驻交趾城（今越南河内），安南各部落、部族，慑服于南诏的武力，纷纷表示投降。至此，南诏的疆域不仅包括中国的云南省全境和贵州、四川、西藏等省的部分地区，还包括今越南、缅甸、泰国、老挝等国的部分地区，成为东南亚地区煊赫一时的强大势力。

直至公元864年高骈被任命为安南都护，战事才算有了转机。在经过一系列的战斗之后，高骈终于在公元866年夺回了河内，安南被重新置于唐王朝的控制之下，南诏的部队损失惨重。

受到沉重打击的南诏需要恢复一段时间，此时唐朝内部又爆发了庞勋领导的起义，也无暇外顾，因此双方暂时休战。自公元869年起，双方的战场转移至西川。南诏王世隆亲率部队攻陷黎州、雅州，围攻成都，战斗进行得十分惨烈。至公元875年，唐朝将在安南击败南诏的高骈调任西川节度使。

当高骈最终来到西川时，南诏的部队已经撤退了，他派兵追杀到大渡河边，并向朝廷建议，越过边界进入南诏境内作战，以彻底征服南诏，但未得到朝廷的批准。主要原因在于，此时内地的农民起义已经进行得如火如荼，朝廷正在调动所有能够派上用场的部队前往镇压，实在无力再对南诏进行征讨了。

既然不能武力进讨，高骈也曾尝试通过与南诏谈判来恢复和平，他派出僧人景仙出使南诏。这不仅仅是因为高骈本人是虔诚的佛教徒，更是因为经过几代统治者的提倡，南诏已经成为一个不折不扣的佛国了，高骈意识到，以僧人为使者，更容易实现彼此的沟通与谅解。

一开始，事情的进展确如高骈所料，使团受到南诏方面的热烈欢迎，世隆不仅命令南诏的高级官员们列队迎接景仙，他自己也亲自下座远迎。但接下来的谈判却未取得有利于唐朝方面的进展。不知道是否出于要完成劝降南诏的使命，景仙竟然在未得到任何授权的情况下，答应唐朝的公主下嫁南诏。因此，世隆也终于显示出了对和谈的诚意，他派出一个带有30名质子的使团前往唐朝，请求与唐朝恢复友好关系。

可是就在这个时候，在公元877年，世隆却突然去世了。

油尽灯枯：南诏之后的短命政权

在南诏历代君主中，世隆似乎是一个有着反唐情结的人，正是他在位期间，南诏与唐朝的关系突然之间变得极其紧张，而在他去世之后，南诏与唐朝的关系又恢复了友好与和平。

事实上，深层次的原因是，当从前制约南诏的两大势力——唐与吐蕃，在公元9世纪同时走向衰落之后，南诏统治者的野心有了不合时宜的膨胀，他们似乎觉得，现在的南诏完全可以与唐、吐蕃鼎足而立了。这种心态在世隆的身上有着最为明显的体现，他所做的一切，实际也都是为了达到这一目的。

在安南与西川，经过与唐朝的两轮较量之后，南诏的统治阶层才深深地意识到，即使是衰落之后的大唐，也是南诏所无法撼动的。无论是安南之战还是西川之战，在战争的初期，南诏也曾一度在战场上占上风，但那都是在唐朝中央未给予西南边疆足够重视的情况下的短暂现象，一旦战场上的失利引起唐朝统治者的重视，从北方发兵南下，南诏在战场上的优势就变为劣势了。

更为重要的是，连年的战争虽然对唐朝是不小的消耗，甚至有学者认为，正是与南诏的战争引发了唐朝境内的大规模农民起义，最终使唐朝走向灭亡，但是与唐朝相比，南诏的国力消耗是有过之而无不及的。以远不如唐朝的综合实力来支撑与唐朝的长期战争，不论战场上的一时胜败如何，这场战争如果持续下去，一定会拖垮南诏的。

当南诏的统治者最终认清形势之后，他们也就开始积极谋求与唐朝讲和，尽快结束这场战争了。公元877年，发动战争的世隆去世，无疑加快了这一进程。

就在即位的当年，南诏王隆舜就派出了一个赴唐朝的使团。有意思的是，使团不是按照传统路线经西川去长安，而是来到邕州。原因是，多次打败南诏的名将高骈仍是西川节度使，通过高骈与唐朝接触，南诏肯定从一开始就处于下风。而驻在邕州的岭南西道节度使辛谠是力主与南诏议和的，他认为尽快结束战争可以使唐朝节省下大量的军费开支。经过朝廷的批准，辛谠遣使南诏。但是就在第二年，在双方的和谈中，南诏提出了和亲，即迎娶唐朝的公主，却令唐朝方面感到非常意外，朝中并不知道高骈派出的使者僧人景仙曾经答应过南诏。关于是否同意与南诏和亲，唐朝大臣分为两派，意见难以统一，对南诏的和谈于是陷入僵局，一切都拖了下来。

就在此时，唐朝内部出现了问题。公元880年年底，黄巢领导的农民起义军已经攻克了唐朝的东都洛阳，就连名将高骈都败在黄巢的手下，局势已经变得完全失控了。黄巢的部队由洛阳西进，十二月攻克潼关，向长安挺进。公元881年一月八日，唐僖宗仓皇逃奔四川成都。同日傍晚，农民军占领长安。同月十六日，黄巢在长安称帝，建国号为“大齐”，取年号为“金统”，建立了农民政权。

一方面唐朝要集中部队剿灭黄巢起义军，另一方面，现在唐僖宗住在成都，就在离南诏最近的地方，在这种情况下，唐朝绝对不能再与南诏开战。因此，由于唐朝方面的让步，拖了几年的谈判有了新的进展。

公元881年，唐僖宗派曹王李龟年为正使，以熟悉南诏情况的徐云虔为副使，携带大量的礼物出使南诏，答应南诏和亲的请求，并准许南诏可以不再称臣。南诏方面表示乐意归顺，于是唐僖宗答应将他的妹妹安化公主嫁给南诏王隆舜。

南诏方面随后派出了宰相赵隆眉、杨奇混和段义宗三人前往成都迎接公主。令人意料不到的是，高骈暗中给唐僖宗上书指出，这三人都是南诏最重要的官员，建议毒死他们。皇帝接受了高骈的建议，南诏所有使者都被杀死，用史书的记载说，南诏“自是谋臣尽矣”。

实际上，唐朝同意和亲不过是缓兵之计，在唐朝最危急的关头设法稳住南诏而已，因此，唐朝将成亲的时间一再往后拖。公元883年黄巢军败局已定，公元884年黄巢兵败自杀，公元885年唐僖宗返回长安，所以，自公元883年以后，唐朝实际上就已经打消了与南诏和亲的念头，至公元885年皇帝返回首都之后，更是没有与南诏和亲的必要，于是此事也就不了了之。

此后，无论是唐朝还是南诏，都处于风雨飘摇之中，双方的交往也基本中断了。

公元902年，就在唐朝正式灭亡前5年，南诏先灭亡，就连两者的灭亡过程都有着相似性——都是被权臣篡权。

说到南诏的灭亡，就得提到一位我们前面已经讲过的人物——郑回。郑回本是唐朝相州人，唐玄宗天宝年间中举，并被任命为西泸（今四川西昌）县令。公元757年，南诏攻陷嶲州，郑回被俘。南诏王阁罗凤因为他有学问，很重视他，任命他为南诏王室的教师。异牟寻即位后，郑回被任命为南诏的清平官。在他执政期间，积极推进汉化，主张在各个方面仿效唐朝，他也努力促使南诏与唐恢复友好关系，起草了《南诏德化碑》，正是在他的努力下，才有了南诏与唐朝的点苍山盟会。

在郑回以后，郑氏世为清平官，成为南诏著名的世家大族，至郑回的七世孙郑买嗣，更是操控了南诏的朝政。公元897年，南诏王隆舜为其近臣杨登所杀，其子舜化贞继位，郑买嗣借机专权。公元902年，郑买嗣又杀死舜化贞及蒙氏王族八百余人，夺取政权，建立大长和国，自称圣明文武威德桓皇帝，建年号安国。至此，南诏正式灭亡。

若从细奴逻在公元653年接受张乐进求让位建立蒙舍诏算起，南诏政权至此共存在两个半世纪。若从皮罗阁统一六诏的公元738年算起，南诏政权共存在164年。但是，虽然对于南诏的灭亡时间历史学家没有异议，对于其建国时间却存在着不同看法。

郑买嗣建立大长和国之后，他自己仅在位8年，就在公元909年去世了。继位的是他的儿子郑仁旻。此时唐朝也已经灭亡，中国进入五代十国的割据混战时期。郑仁旻与割据四川的前蜀、割据广东的南汉，都有一定的往来，他还娶了南汉的增城公主。

郑仁旻死于公元926年，其子郑隆亶继位，当时年仅12岁。第二年，郑隆亶被其剑川节度使杨干贞所杀，郑氏的大长和国灭亡，仅传了三世，共计26年。

杨干贞颠覆郑氏政权后，拥立在大长和国任清平官的赵善政为国主，改国号为天兴，又称大天兴国。赵善政出身于南诏境内的白蛮贵族世家，但是，他仅仅在位10个月，就被杨干贞废掉了，大天兴国的存在也只有这10个月。

拥兵自重的杨干贞终于自立为国主，改国号为义宁，又称大义宁国。杨干贞也是出身于白蛮贵族世家，在位8年。

公元938年，段思平联合东方37个蛮部进军洱海，推翻了义宁政权。段思平占据南诏的首府羊苴咩城，改国号为大理，开始了白族为主体民族的大理国时代。

南诏之后的政权

国号	国主名	在位时间	谥号
大长和国	郑买嗣	902—909年	圣明文武威德桓皇帝
	郑仁旻	909—926年	肃文太上皇帝
	郑隆亶	926—928年	恭惠皇帝
大天兴国	赵善政	928—929年	悼康皇帝
大义宁国	杨干贞	929—937年	肃恭皇帝

尾　声

七彩云南：南诏留下的神秘宝藏

李浩，17岁投笔从戎，与沐英有八拜之交。在明朝建立之初，随军转战各地18年，直到随部队平定云南之后，才在云南娶妻成家，定居于大理。

据李浩记载，当明军在蓝玉的指挥下攻入大理城的时候，大理城四处起火，蓝玉的部下占领了40个饷库，只顾着抢掠府库的金银珠宝。李浩率部队救火，抢救下大理国的藏书。李浩调动了500名战士，对得到的藏书字画进行清理，共整理出二百余驮，用马匹驮到龙尾关保存。

若干年之后，在1386年，李浩亲自将这些藏书进行整理，一部分送往当时明朝的首都南京，一部分送交云南省城的沐王府，剩下他自己收藏的尚有三千余册。他在龙尾关兴建了一座名为“幽香阁”的藏书楼，收藏这些得自大理国内府的书籍。

李浩之孙李以恒，字静瑛，号玉笛山人，根据这些家藏的宝贵资料，写成了介绍南诏、大理掌故的笔记《淮城夜语》。

《淮城夜语》自成书后一直没有印行，以抄本的形式在民间流传了四百多年，书中记载着关于南诏的一个秘密。

传说，南诏王世隆与唐朝决裂之后，曾经多次派部队进攻成都，掠夺了大量的金银财宝。回到南诏以后，世隆役使自成都掠来的俘虏3000人，在点苍山开凿了四座宝库，以储藏这些宝物。前后历时五年，这四座宝库才全部修成。

第一座宝库在佛顶峰后山，称西库，也称后库，专门用来储藏黄金和白银。为此专门开五尺道，由太和城西进入点苍山，而后进入后山的山洞，道路全长达二十余里，全部都用石板铺成。

第二座宝库在岑峨峰的山腰，称中库。岑峨峰又名小岑峰，是点苍山十九峰由北至南数的第十一峰。其中专门存放南诏历代国王收藏的金珠玉石，种种宝器，其价值无法估计。

第三座宝库在斜阳峰，称南库。由红泥坡进入，深两百步，专门收藏了5万副兵戈甲胄，以备将来战争之需。

第四座宝库在猎豹峰，称北库，储藏了整整一库的白银。猎豹峰又名沧浪峰，是点苍山十九峰由北至南的第二峰，峰南为万花溪，又名银矿溪。

四库修成之后，参与修建者全部被用毒酒毒死，以使外人无从知道宝库的具体位置。

郑买嗣篡夺南诏政权建立大长和国之后，曾经在南诏宫中发现了记载四库位置的一幅地图，但却未能找到四库。但这幅图却作为宝物，被一直保存下来。

段氏大理国建立之后，再一次按图寻宝，经过一番努力，最终发现了收藏白银的北库。先进入宝库的人，共有22人中机关而死。但是，段氏毕竟由此发了一笔横财，共从库中挖出白银二百多万两。这次成功对段氏无疑是巨大的鼓励，他们派人继续寻找，又发现了南库，除了得到数万件兵器之外，还发现了两部兵书。但其他两库，段氏一直没有找到。

明军占领云南之后，蓝玉曾经在段氏的宫里发现了当年那幅记载宝库位置的地图，并动员手下部队寻找，却一无所获。

南诏留下的巨大宝藏，曾激起无数人的遐想，但也有学者认为，所谓李以恒的《淮城夜语》，根本就是一本靠不住的伪书。

南诏是否给后世留下了巨额的金银珠宝不得而知，但是，如果我们追溯今天云南境内的少数民族的起源，却可以发现，多数能够追溯到南诏统治时期。南诏王室所出的乌蛮，就是今天彝族的先世；构成南诏统治集团的主体，把握清平官、大将军等重要职务的白蛮，也是南诏国内文化水平最高的族群，就是今天白族的先世。此外，南诏统治下的施蛮、顺蛮，就是今天傈僳族的先世；磨些蛮，就是今天纳西族的先民；和蛮，又称和泥，就是今天哈尼族的先民；寻传蛮，就是今天阿昌族的先民，其中还包括部分景颇族的先民；裸形蛮，就是今天景颇族的先民；金齿、银齿、黑齿，都是指傣族先民；扑子蛮，就是今天布朗族、德昂族的先民；望蛮，就是今天佤族的先民……

南诏时期开始形成的许多单一民族，是近现代西南民族的直接来源，今天西南民族的构成与分布，应该说，在南诏时期就已经基本形成了。

南诏时期开始出现的这些少数民族，不断地融入中华民族的大家庭，为中华民族不断注入新鲜血液，时至今日，仍是中华民族的重要组成部分，也许，这才是南诏留给我们的最大的宝藏。

图书在版编目（CIP）数据

南诏王国传奇 / 杨军编著. —北京：中国国际广播出版社，2014.6
（北望长安系列丛书）
ISBN 978-7-5078-3697-4

Ⅰ.①南…　Ⅱ.①杨…　Ⅲ.①南诏—历史　Ⅳ.①K289

中国版本图书馆CIP数据核字（2014）第025068号

南诏王国传奇

编　　著	杨　军
责任编辑	赵　晶
版式设计	国广设计室
责任校对	徐秀英
出版发行	中国国际广播出版社（83139469　83139489[传真]）
社　　址	北京复兴门外大街2号（国家广电总局内）
	邮编：100866
网　　址	www.chirp.com.cn
经　　销	新华书店
印　　刷	环球印刷（北京）有限公司
开　　本	710 × 1000　1/16
字　　数	110千字
印　　张	11
版　　次	2014 年 6 月　北京第一版
印　　次	2014 年 6 月　第一次印刷
书　　号	ISBN 978-7-5078-3697-4 / K · 245
定　　价	24.00 元

CRI 中国国际广播出版社　欢迎关注本社新浪官方微博　官方网站 www.chirp.cn